ファッション販売3

―ファッション販売能力検定試験3級公式問題集―

はじめに

　情報技術はすさまじい勢いで発展しており、すべての分野において影響を及ぼしています。

　ファッションの世界においても同様で、様々な変革が求められ、その対応に迫られております。

　当協会では、ファッションビジネスの世界で、特に消費者の一番近くにいて、豊かな衣生活に貢献する販売の業務にスポットをあて、平成10年（1998年）より「ファッション販売能力検定試験」を実施してきました。また、それに伴ったテキストや試験問題集を作成し、多くの受験生に利用していただきました。

　しかし、上記のとおり、世界中で情報の変革が起こり「ファッション販売」もその大きな変化を余儀なくされております。当協会も、試験発足以来、社会及び販売情勢をみながら、修正を行い、時宜にかなった試験問題作成に取り組んでまいりました。

　平成30年（2018年）、ファッション販売新テキストを発行し、それに合わせこの問題集も全面改定をいたしました。

　この本が、これからのファッション販売ビジネスの世界で働くことを目指す多くのファッション教育機関やファッション系大学・短大、職業教育機関、並びに実践においてさらなるスキルアップをはかる社会人の方々にとって有効に活用していただければ幸いです。

一般財団法人　日本ファッション教育振興協会

ファッション販売能力検定に期待する

　ファッションメーカーがファッションを作り、ファッション販売企業がお客様にお届けする。この創・工・商のバランスが、ファッションビジネスですが、いま、特に商の販売が重視されています。生活者に直に接するファッション販売業には、生活者の豊かな衣生活にサービスする優れた販売スタッフが必要ですが、わが国のファッション産業の浮沈は、まさに、これにかかっているといっても過言ではありません。

　これからのファッション販売のスタッフには、ファッションやビジネスに関する専門的な知識や技術だけでなく、「おもてなし」など、人としての魅力も必要になります。つまり、ファッション販売は全人格をかけた新しい高度なプロビジネスであり、それだけに大変面白い、やり甲斐のある仕事ではないでしょうか。未来をになう若い方々に大いに関心を持っていただきたいと思います。

　わが国のファッション産業は、このような高い能力を持ったファッション販売のプロを必要としています。

　繊維ファッション産学協議会は、かねてから産業界からの希望として、高度な販売スタッフの育成を教育界にお願いしてきました。幸いにして、（一財）日本ファッション教育振興協会が、この問題に取り組んでくださいました。そして、産業界も協力して永年にわたる検討を経て、「ファッション販売能力検定」の開始に至り、現在まで引き継がれています。

　これを機会に、ファッション販売のビジネスに若い優秀な人材が輩出され、人々の衣生活がますます豊かになるとともに、ファッション産業が大いに発展してゆくことを祈願いたします。

繊維ファッション産学協議会

目　次

A科目

ファッション販売知識

問1　下記の図は、日本のアパレル産業の構造の中でも川上を表したものです。
　　　　　　の中にあてはまる言葉を、語群（ア～ク）から選び、解答番号の記号
　　　をマークしなさい。

産業区分		1　　　のタイプ	産業内の位置づけ
2	繊維素材産業	繊維・糸メーカー　　3	川上
	4	生地メーカー　　5	

ア	テキスタイル産業	イ	アパレル素材産業	ウ	生地卸売業
エ	企業	オ	商業	カ	原毛産業
キ	糸卸売業	ク	アパレル縫製企業		

解答：1.エ　2.イ　3.キ　4.ア　5.ウ

問2　下記a〜eは、ファッションに関する文章です。　　　　　　の中にあてはまる言葉を、語群（ア〜ク）から選び、解答番号の記号をマークしなさい。

a．ＴＰＯは、時と場所と機会、つまりTime・Place・　1　の略語である。

b．ファッションは、作ること、行為、活動などを意味するラテン語の　2　が語源とされている。

c．ライフスタイルは、　3　のことである。

d．　4　は、既製服の意味である。

e．　5　は、特定の顧客に対する特別仕立ての注文服をさす。

ア	factio	イ	Occasion	ウ	生活様式	エ	オートクチュール
オ	Opportunity	カ	西洋式	キ	プレタポルテ	ク	fado

解答：1.イ　2.ア　3.ウ　4.キ　5.エ

問3　下記a〜eは、ファッション及びファッションビジネスに関する文章です。
　　　　□　の中にあてはまるものを、それぞれの（ア・イ）から選び、解答番号
　　　の記号をマークしなさい。

a．ファッションビジネスの領域は、その移り変わりから見ても次第に　1　傾向にある。
　　ア．ライフスタイル全般に広がる
　　イ．アパレル中心に絞り込まれる

b．ファッションとアートを比較した場合、　2　の方が時代の動向に左右されるとい
　　える。
　　ア．前者
　　イ．後者

c．「アパレル」は衣服そのものを意味し、子供服や下着はもちろん入り、呉服　3　。
　　ア．も含まれる
　　イ．は含まれない

d．円高になると、海外で生産している商品の原価が　4　。
　　ア．上がる
　　イ．下がる

e．デーリーカジュアルSPAの商品は、デザイナーズブランドの商品よりも　5　とい
　　える。
　　ア．コモディティに近い
　　イ．意匠を凝らしている

解答：1．ア　2．ア　3．イ　4．イ　5．ア

問4　下記a～eは、店舗および売場づくりに関する文章です。　　　　の中にあて
　　　はまるものを、それぞれの（ア・イ）から選び、解答番号の記号をマークしな
　　　さい。

a．一般に、百貨店はGMSよりも、　　1　　（ア．多層階　イ．低層階）展開の場合が
　　多い。

b．フリースタンディングは、インショップよりも店舗の　　2　　（ア．インテリア　イ．
　　エクステリア）にコストを要する。

c．「店頭」とは、店舗の　　3　　（ア．軒先　イ．店子）をさすが、売場の意味でも用い
　　られる。

d．「あらゆる人に優しい売場づくり」を目指して、　　4　　（ア．タックスフリー　イ．
　　バリアフリー）の売場が増えている。

e．売場の回遊性を高めると、顧客の滞留時間を　　5　　（ア．短く　イ．長く）すること
　　につながる。

解答：1.ア　2.イ　3.ア　4.イ　5.イ

問5　下記a～dは、ネットショップおよびリアル店舗に関する文章です。 ☐ の中にあてはまるものを、それぞれの（ア・イ）から選び、解答番号の記号をマークしなさい。

a．リアル店舗は、ネットショップとは異なり、立地が業績に影響を ☐1☐ （ア．及ぼす　イ．及ぼさない）。

b．ネットショップは、リアル店舗とは異なり、売場面積に限界が ☐2☐ （ア．ある　イ．ない）ため、展開商品数は ☐3☐ （ア．多く展開できる　イ．少なくなる）。

c．近年、お客様のネット購入における難点を補うべく、 ☐4☐ （ア．オンラインショップ　イ．ショールーム）を設置するECサイトが増えている。

d．バーチャルショップとは、 ☐5☐ （ア．仮想店舗　イ．空き店舗）のことである。

解答：1.ア　2.イ　3.ア　4.イ　5.ア

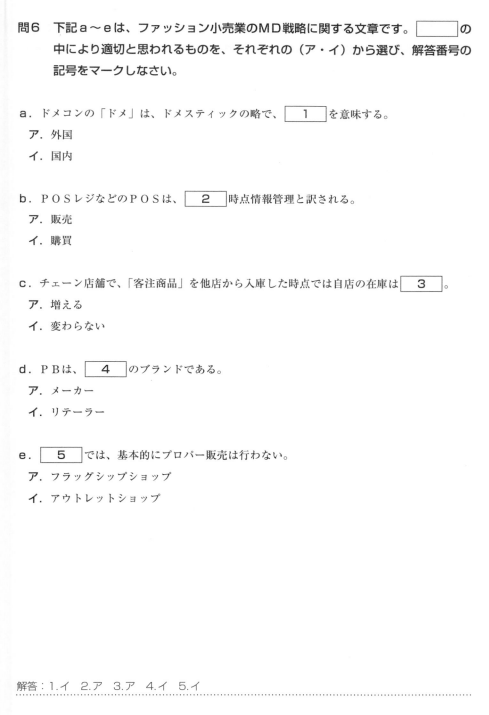

問6　下記a～eは、ファッション小売業のMD戦略に関する文章です。　　　　の中により適切と思われるものを、それぞれの（ア・イ）から選び、解答番号の記号をマークしなさい。

a．ドメコンの「ドメ」は、ドメスティックの略で、　1　を意味する。

　　ア．外国

　　イ．国内

b．POSレジなどのPOSは、　2　時点情報管理と訳される。

　　ア．販売

　　イ．購買

c．チェーン店舗で、「客注商品」を他店から入庫した時点では自店の在庫は　3　。

　　ア．増える

　　イ．変わらない

d．PBは、　4　のブランドである。

　　ア．メーカー

　　イ．リテーラー

e．　5　では、基本的にプロパー販売は行わない。

　　ア．フラッグシップショップ

　　イ．アウトレットショップ

解答：1.イ　2.ア　3.ア　4.イ　5.イ

問7　下記a～eは、ファッション及びファッションビジネスに関する文章です。
　　　　　　の中にあてはまるものを、それぞれの（ア・イ）から選び、解答番号
　　　の記号をマークしなさい。

a．ファッション価値は、時代の美意識の変化に　　1　　ものである。

　　ア．左右されない

　　イ．左右される

b．ファッション市場が成熟するほど、消費者志向の　　2　　が進展する。

　　ア．多様化・個性化

　　イ．集中化・同調化

c．近年のファッションビジネスでは、　　3　　全般に展開領域を広げる傾向が顕著である。

　　ア．ライフスタイル

　　イ．ライフサイクル

d．いわゆるファストファッションは、グローバルSPAと　　4　　。

　　ア．同義ではない

　　イ．同義である

e．ファッションビル内のセレクトショップでは、　　5　　が仕入れを行う。

　　ア．ディベロッパー

　　イ．バイヤー

解答：1.イ　2.ア　3.ア　4.ア　5.イ

問8　下記a～eは、商業施設・店舗・売場に関する文章です。一般的に存在するものには、解答番号の記号アを、存在しないものには、記号イをマークしなさい。

a．駐車場を備えていないショッピングセンター。　　　　　　　　　　1

b．アウトレットモール内のプレハブ式店舗。　　　　　　　　　　　　2

c．ファサードが2つ以上ある店舗。　　　　　　　　　　　　　　　　3

d．デューティーフリー売場を開設している繁華街に立地する商業施設。　4

e．フリースタンディングとインショップの双方を展開しているチェーン店舗。　5

解答：1.イ　2.ア　3.ア　4.ア　5.ア

問9　下記a～eは、ネットショップおよびリアル店舗に関する文章です。□□□□の中にあてはまるものを、それぞれの（ア・イ）から選び、解答番号の記号をマークしなさい。

a．ネットショップとは異なり、リアル店舗は売場面積に既定 [1]（ア．される　イ．されない）。

b．バーチャルショップとは、[2]（ア．期間限定店　イ．仮想店舗）のことである。

c．「いつでもどこでも買い物ができる」という点においては、リアル店舗の方がネットショップよりも [3]（ア．有利　イ．不利）となる。

d．O2Oにおいては基本的にリアル店舗とネットショップ、双方の在庫の [4]（ア．一元化　イ．独立化）を図り管理する。

e．「ハイタッチなサービス」という点においては、リアル店舗の方がネットショップよりも実現 [5]（ア．しやすい　イ．させにくい）。

解答：1.ア　2.イ　3.イ　4.ア　5.ア

問10　下記a〜eは、小売業に関する文章です。　　　　の中にあてはまるものを、
　　　それぞれの（ア・イ）から選び、解答番号の記号をマークしなさい。

a．「婦人服・下着店・雑貨店」は、小売店の　1　（ア．業態　イ．業種）による区分
　　けである。

b．百貨店では、地下階にスウィーツなどの人気店の充実を図り「　2　（ア．シャワー
　　効果　イ．噴水効果)」を狙う。

c．一般に「インショップ」の数は、百貨店よりもファッションビルの方が　3　（ア．
　　多い　イ．少ない）。

d．ファッションビルは、　4　（ア．ＳＣ　イ．百貨店）の一種である。

e．ＥＣモールは、いわばネット上の　5　（ア．直営店　イ．ショッピングセンター）
　　である。

解答：1.イ　2.イ　3.ア　4.ア　5.イ

— 19 —

問11　下記a〜eは、ファッション小売業のMD戦略に関する文章です。　　　　　の
　　　　中により適切と思われるものを、それぞれの（ア・イ）から選び、解答番号
　　　　の記号をマークしなさい。

a．日本の小売店に卸売りする海外ブランドにとっては、「　1　」が有利に働く。
　　ア．円高
　　イ．円安

b．同じアイテムにおいて、ＰＢ商品はＮＢ商品よりも販売価格を　2　設定することが
　　多いといえる。
　　ア．高く
　　イ．安く

c．チェーン店舗で、依頼を受けて自店の在庫商品を系列店に発送することを「　3　」
　　という。
　　ア．出庫
　　イ．入庫

d．バーゲンセールを行う際は、「商品　4　」を下げて販売する。
　　ア．上代
　　イ．下代

e．セレクトショップでは　5　に「初秋物提案」を開始することが多い。
　　ア．7月
　　イ．10月

解答：1.ア　2.イ　3.ア　4.ア　5.ア

問12　下記のa～eは、販売スタッフに望まれる5つの力に関する文章です。正しい
　　　ものには解答番号の記号アを、誤っているものには記号イをマークしなさい。

a．共感力とは、お客様の気持ちに沿って「私もこの商品を持っています」と伝えること
　　である。

1

b．自信力とは、仕事に自信を持ち、明るく生き生きとした態度で応対することである。

2

c．創造力とは、例えばディスプレーなど、お客様にご満足いただけるように工夫すること
　　である。

3

d．提案力とは、セールストークで商品の良さをアピールし、お客様のニーズを聞き出すこ
　　とである。

4

e．継続力とは、店頭でお客様に喜ばれる提案をして、自信につなげ、仕事の活力となる経
　　験を継続していくことである。

5

解答：1.イ　2.ア　3.ア　4.イ　5.ア

問13 下記a～eは、小売業の業態と形態に関する文章です。正しいものには解答
　　　番号の記号アを、誤っているものには記号イをマークしなさい。

a．無店舗販売には、テレビやインターネットによる販売・カタログ販売・訪問販売がある。

　　　　　　　　　　　　　　　　　　　　　　　　　　　　　　　　　　　1

b．フリマアプリなどの消費者間取引でも、商品代金に消費税が課税される。　　2

c．量販店、ネットショップなどは、小売り業態による区分けの仕方である。　　3

d．アウトレットモールは、一年中アウトレット価格で販売されているので、セールはない。

　　　　　　　　　　　　　　　　　　　　　　　　　　　　　　　　　　　4

e．ファッションビルは、ディベロッパーによって運営されているショッピングセンターで
　　はない。　　　　　　　　　　　　　　　　　　　　　　　　　　　　　5

解答：1.ア　2.イ　3.ア　4.イ　5.イ

問14　下記 a～e は、お客様に関する用語です。それぞれ類義語の組み合わせになるものを、語群（ア～オ）から選び、解答番号の記号をマークしなさい。

a．ふりの客　　　　　　　　　　　　　　　　　　　| 1 |

b．ヘビーユーザー　　　　　　　　　　　　　　　　| 2 |

c．上得意客　　　　　　　　　　　　　　　　　　　| 3 |

d．下見客　　　　　　　　　　　　　　　　　　　　| 4 |

e．クレーマー　　　　　　　　　　　　　　　　　　| 5 |

ア	見込み客	イ	ロイヤルカスタマー	ウ	一見客
エ	苦情客	オ	リピーター		

解答：1.ウ　2.オ　3.イ　4.ア　5.エ

問15　下記は、ライフスタイルショップに関する文章です。□□□の中にあてはまるものを、それぞれの（ア・イ）から選び、解答番号の記号をマークしなさい。

　　ライフスタイルショップは、消費者の　1　（ア．多様化　イ．同質化）に対応した業態である。一つの　2　（ア．テイストレベル　イ．生活スタイル）を軸にして、衣食住にまつわる商品を取り揃え、提案する店のことで、食品を扱ったり、　3　（ア．カフェ　イ．ケータリング）のような飲食機能を導入するケースもある。取扱商品が幅広いので、販売スタッフには広く深い　4　（ア．経歴　イ．商品知識）が求められる。すべての商品に　5　（ア．利用経験　イ．自家需要）があることが望ましい。

問16　下記は、日本のファッション史に関する文章です。□□□の中にあてはまる
　　　言葉を、それぞれの（ア・イ）から選び、解答番号の記号をマークしなさい。

　日本のファッション史を振り返ると、高度経済成長期の　1　（ア．1954〜73年頃　イ．
1960〜73年頃）には、　2　（ア．ミセスファッション　イ．ヤングファッション）が流
行し、バブル期の　3　（ア．1980〜89年頃　イ．1986年〜91年頃）には、　4　（ア．
ブランド物　イ．ヴィンテージ物）が流行して価格も高騰した。バブルの崩壊後は景気が長
期低迷し、　5　（ア．インフレ　イ．デフレ）基調が長く続いた。

解答：1.ア　2.イ　3.イ　4.ア　5.イ

問17　下記a〜dは、店の機能に関する文章です。　　　　　の中にあてはまる言葉を、
（ア〜ク）から選び、解答番号の記号をマークしなさい。

a．店は「商品の売買」の場であり、「情報の交流」の場である。お客様にとっては、新し
　い　1　ができる場であり、販売スタッフとの　2　が欠かせない。

b．お店の　3　に基づいて、お客様の興味・関心や感性に響く品揃えや店舗空間が表現
　されている。

c．お客様の求める商品が適切な時期に、適切な品揃えで準備されていることが大切で、
　　4　などの仕入れ担当者と考え方を共有する。

d．キャッシュレス決済は、多様な支払い方法などに付随する　5　によるサービスのひ
　とつで、お客様の多様なニーズに対応する。

ア	システム	イ	コーディネート	ウ	バイヤー	エ	ディストリビューター
オ	コミュニケーション	カ	ポリシー	キ	ショッピング体験	ク	コンセプト

解答：1.キ　2.オ　3.ク　4.ウ　5.ア

問18　下記a～eは、お客様に関する文章です。 _____ の中にあてはまる言葉を、
　　　それぞれの語群（ア～ウ）から選び、解答番号の記号をマークしなさい。

a．店の前を歩いている通行客を入店客に、入店客を接客で 1 にすることが大切で
　ある。

b．「今日は買わない」と言うお客様は、下見客であり、 2 でもある。カタログ・チ
　ラシ・名刺などをお渡しし、次回来店につなげる。

c．一見客のことを、 3 と呼ぶことができる。常連客と差別をしないようにする。

d．ショッピングセンターが発行するクレジット機能付きのカードのことを、 4 と
　いう。

e．店にどのようなお客様が来店し、実際に買っているか把握するために 5 を行う。

1の語群	ア	固定客	イ	回遊客	ウ	買上客
2の語群	ア	有望客	イ	見込客	ウ	なじみ客
3の語群	ア	ふりの客	イ	フリー客	ウ	フリーカスタマー
4の語群	ア	メインカード	イ	ハウスカード	ウ	ＶＩＰカード
5の語群	ア	客層分析	イ	定点観測	ウ	顧客満足度調査

解答：1.ウ　2.イ　3.ア　4.イ　5.ア

A科目

マーケティング

問1　下記a～eは、リテールマーケティングに関する文章です。[　　　]の中にあてはまるものを、それぞれの（ア・イ）から選び、解答番号の記号をマークしなさい。

a．[　1　]（ア．ウエアハウス　イ．ファサード）の演出にひかれて入店を決めるお客様は多いものである。

b．フリースタンディングとインショップを比べた場合、集客や販促戦略を自店で行う度合いが高いのは、[　2　]（ア．前者　イ．後者）の方といえる。

c．ファッションビルでは、ディベロッパーが[　3　]（ア．商品　イ．テナント）構成を行う。

d．ネットショップは、[　4　]（ア．EC　イ．FC）の一種である。

e．バーチャルショップとは、[　5　]（ア．仮想店舗　イ．期間限定店）のことである。

解答：1.イ　2.ア　3.イ　4.ア　5.ア

問2 下記a〜eは、コミュニケーションツールに関する問題です。設問に対する解答を、それぞれの（ア〜ウ）から選び、解答番号の記号をマークしなさい。

a．DM1通に掛かるコストが、最も低いツールを選びなさい。 [1]

　　ア．はがき

　　イ．手紙

　　ウ．eメール

b．「商品目録」に該当するものを選びなさい。 [2]

　　ア．ビラ

　　イ．カタログ

　　ウ．チラシ

c．顧客カードにおいて最も慎重な管理が必要となるものを選びなさい。 [3]

　　ア．お客様の個人情報

　　イ．お客様の購買商品情報

　　ウ．お客様の来店回数情報

d．SNSが開発当初、想定していたコミュニケーションの用途を選びなさい。 [4]

　　ア．私的なコミュニティ内

　　イ．コマーシャルベース

　　ウ．公報関連

e．インターネット上の「バナー広告」の基本形を選びなさい。 [5]

　　ア．三角形

　　イ．楕円形

　　ウ．四角形

解答：1.ウ　2.イ　3.ア　4.ア　5.ウ

問3　下記 a 〜 c は、日本の小売市況に関する文章です。　　　　の中にあてはまる言葉を、語群（ア〜ク）から選び、解答番号の記号をマークしなさい。

a．「GINZA SIX」とは2017年4月、銀座の　1　跡地にオープンした　2　形式の大規模商業施設である。

b．昨今の有力アパレル企業の新規出店における立地選びでは、どちらかといえば　3　回帰の傾向が見られる。

c．日本のファッション市場では、以前に比べて　4　価格帯が縮小し、海外市場のように価格の　5　化傾向が進行している。

ア	都心	イ	ショッピングセンター	ウ	一極集中
エ	中間	オ	地方	カ	低
キ	百貨店	ク	二極		

解答：1.キ　2.イ　3.ア　4.エ　5.ク

問4 下記a〜eは、ファッション販売における季節対応に関する文章です。正しい
と思われるものには、解答番号の記号アを、誤っていると思われるものには、
記号イをマークしなさい。

a. 近年では「10月のハロウィン」など、ファッションにおける新たなモチベーションの台
頭が見られる。 　　　　　　　　　　　　　　　　　　　　　　　　　　1

b. 菜種梅雨への対応策としては、「春物レインコート」の展開が考えられる。 　　2

c. 「端境期の売場」とは、例えば冬物から春物への入れ替えが完了した売場をさす。
　　　　　　　　　　　　　　　　　　　　　　　　　　　　　　　　　　3

d. セールの中でも「クリアランスセール」は、比較的早い時期に開催される。 　4

e. 日本よりも台湾や香港では、「防寒物」の需要は少ないといえる。 　　　　5

解答：1.ア　2.ア　3.イ　4.イ　5.ア

問5　下記a〜eは、販売スタッフの情報マネジメントに関する文章です。□□□□の中により適切と思われるものを、それぞれの（ア・イ）から選び、解答番号の記号をマークしなさい。

a．新商品をディスプレイした際、販売スタッフはお客様の反応を　1　バイヤーに報告することが望ましい。

　　ア．速やかに

　　イ．購買につながった際に

b．「店頭情報」とは、ショーウィンドー　2　情報を意味する。

　　ア．などの店舗の軒先の演出に対する反応に関する

　　イ．を含む売場におけるすべての

c．お客様が要望している商品が他店にあるような場合、販売スタッフはその情報をお客様に伝える　3　。

　　ア．べきである

　　イ．ことは差し控える

d．　4　の実施により、販売スタッフは普段の売場では得られない広い知識を学ぶことになる。

　　ア．OJT

　　イ．Off-JT

e．自店のホームページに掲載したコーディネート表現は、　5　などといったようにアイテム別でも検索できるようにするとよい。

　　ア．ブラウス、スカート

　　イ．色、サイズ

解答：1.ア　2.イ　3.ア　4.イ　5.ア

問6　下記a～dは、ファッション販売における営業期に関する文章です。 □□□ の中にあてはまる言葉を、それぞれの（ア・イ）から選び、解答番号の記号を マークしなさい。

a. 一般に固定客中心のハイグレードなブティックは、低価格カジュアルストアよりも、営 業期の数が　 1 　（ア. 多く　イ. 少なく）なる傾向がある。

b. 営業期における「晩夏期」の商品構成では、基本的に　 2 　（ア. 落ち着いた　イ. ビビッドな）色目の　 3 　（ア. 秋物　イ. 夏物）の展開が中心となる。

c. 営業期における「梅春期」の展開期間は、「冬期」に比べて　 4 　（ア. 長い　イ. 短い）。

d. 一般にゴールデンウィークの頃は、　 5 　（ア. 初夏期　イ. 盛夏期）の売場となり、 マリンルックなどのカジュアルスタイルが打ち出される。

解答：1.ア　2.ア　3.イ　4.イ　5.ア

問7　下記a〜eは、マーケティングに関連した基礎用語に関する文章です。それぞれに該当する言葉を、それぞれの（ア〜ウ）から選び、解答番号の記号をマークしなさい。

a．大企業がターゲットとしないような隙間市場。　　　　　　　　　　　1

　　ア．ニッチマーケット

　　イ．プチプラ

　　ウ．マーケットプレイス

b．広報活動のことで、略してPRともいう。　　　　　　　　　　　　2

　　ア．プロモーション

　　イ．パブリックコミュニケーション

　　ウ．パブリックリレーションズ

c．情報を提供して、マスメディアに無料で報道してもらうように働きかける広報活動。

　　ア．パブリシティー　　　　　　　　　　　　　　　　　　　　　3

　　イ．ノベルティー

　　ウ．アドバタイジング

d．地域の特性をマーケティング活動に反映すること。　　　　　　　　4

　　ア．マーケットセグメンテーション

　　イ．エリアマーケティング

　　ウ．ダイバーシティ

e．コレクションで見せた商品をすぐに売る手法。　　　　　　　　　　5

　　ア．シーナウ・バイナウ

　　イ．クイックレスポンス

　　ウ．SPA

解答：1.ア　2.ウ　3.ア　4.イ　5.ア

問8　下記 a ～ e は、生活行事や店の販売対応に関するものです。該当する月を、それぞれの（ア・イ）から選び、解答番号の記号をマークしなさい。

a．初売り　新生活準備　成人の日　　　　　　　　　　| 1 |

　ア．1月

　イ．3月

b．ハロウィーン販促　七五三需要　　　　　　　　　　| 2 |

　ア．10月

　イ．12月

c．クリアランスセール　夏のレジャー　　　　　　　　| 3 |

　ア．4月

　イ．7月

d．母の日　こどもの日　ブライダルフェア　　　　　　| 4 |

　ア．3月

　イ．5月

e．クリスマス販促　新年準備　成人の日フェア　　　　| 5 |

　ア．4月

　イ．12月

解答：1.ア　2.ア　3.イ　4.イ　5.イ

問9　下記は、オムニチャネルに関する文章です。　　　　　の中にあてはまる言葉を、語群（ア～ク）から選び、解答番号の記号をマークしなさい。

　　オムニチャネルとは、従来の企業と消費者との接点となる　1　と、オンラインストアなどあらゆる　2　（販売経路）を　3　させ、お客様にアプローチする戦略のことである。

　　例えば、洋服を買いに行き店舗に在庫がない場合でも、　4　から購入できたり、最寄りの店舗で受け取りができたりと、お客様が欲しい商品を好きな時に、自宅など好きな　5　で受け取れるようにするのがオムニチャネル戦略である。

ア	チャネル	イ	販売員	ウ	連携	エ	分割
オ	実店舗	カ	ＥＣ	キ	場所	ク	サイズ

解答：1.オ　2.ア　3.ウ　4.カ　5.キ

問10　下記 a ～ e は、リテールマーケティングに関する用語の説明文です。それぞれに該当する解答を、それぞれの（ア～ウ）から選び、解答番号の記号をマークしなさい。

a．独立店、個店。　　　　　　　　　　　　　　　　　　　　　 1

　　ア．アンテナショップ

　　イ．シングルライナー

　　ウ．フリースタンディング

b．繰り返し来店、購入をするお客様。　　　　　　　　　　　　 2

　　ア．リピーター

　　イ．ビギナー

　　ウ．フォロワー

c．そのショップの概念、基本的な考え方のこと。　　　　　　　 3

　　ア．コンセプト

　　イ．ショップアイデンティティ

　　ウ．ショップロイヤルティ

d．ファッションビルのテナント構成をする業者。　　　　　　　 4

　　ア．テナント

　　イ．ディストリビューター

　　ウ．ディベロッパー

e．期間限定やイベント的に短期間出店する店舗。　　　　　　　 5

　　ア．キーテナント

　　イ．ポップアップショップ

　　ウ．コーナー

解答：1.ウ　2.ア　3.ア　4.ウ　5.イ

問11　下記a〜eは、インターネットを利用した販売に関する問題です。[   ]の
　　　中にあてはまる言葉を、それぞれの（ア〜ウ）から選び、解答番号の記号を
　　　マークしなさい。

a．ＥＣの正式な呼称を選びなさい。　　　　　　　　　　　　　　[1]

　　ア．エレクトロニックコマース

　　イ．エコシステム

　　ウ．インターネットコマーシャル

b．ネットモールの意味として適切なものを選びなさい。　　　　[2]

　　ア．電子商取引

　　イ．電子商店街

　　ウ．電子委託販売

c．自社のＨＰを検索サイトで順位をあげる手法を表すものを選びなさい。　[3]

　　ア．ＳＥＯ

　　イ．ＳＮＳ

　　ウ．ＱＲＳ

d．ネットショップとリアルショップを併用する戦略を表すものを選びなさい。　[4]

　　ア．Ｏ２Ｏ

　　イ．Ｂ２Ｃ

　　ウ．Ｍ＆Ａ

e．ショールーミングといわれる購買行動の適切な意味を選びなさい。　[5]

　　ア．有名ブランドの数量限定アイテムを購入し、転売する。

　　イ．各サイトの商品を比較検討し、割安な商品を探して購入する。

　　ウ．ショールーム代わりに実店舗で商品確認を行い、購入はオンライン上で行う。

解答：1.ア　2.イ　3.ア　4.ア　5.ウ

問12　下記は、マーケティングの基礎知識に関する問題です。 ［　　　］の中にあてはまる言葉を、語群（ア〜ク）から選び、解答番号の記号をマークしなさい。

　マーケティングとは「市場 ［ 1 ］」と理解している人が多いが、本来は自社の商品やショップの ［ 2 ］ を作る活動である。

　お客様の欲求する商品やサービスを的確にとらえ、需要と供給のバランスを図っていく一連の流れにそって、より多く販売するための方法である。一連の流れとはお客様が何を求めているのかを調査し、商品の ［ 3 ］ や仕入れ・価格の ［ 4 ］ ・商品の構成・宣伝 ［ 5 ］ ・販売方法・サービスなどを生かす仕組みである。

ア	ＶＭＤ	イ	開発	ウ	マーケット	エ	広告
オ	多様化	カ	設定	キ	調査	ク	販売スタッフ

解答：1.キ　2.ウ　3.イ　4カ.　5.エ

— 41 —

問13　下記は、「マーケティング4つの仕組み」に関する文章です。□□□□の中に
　　　あてはまる言葉を、それぞれの（ア・イ）から選び、解答番号の記号をマー
　　　クしなさい。

　マーケティング4つの仕組みは、マーケティング戦略の立案・実行プロセスの1つであり、
以下の構成要素から成り立っている。

　1つめは、企業の利益の源泉となり顧客ニーズを満たす　1　（**ア**．product　**イ**．
prime）である。

　2つめは、市場で販売するうえで設定する　2　（**ア**．price　**イ**．platform）で
ある。

　3つめは、顧客に商品を適切に届けることの出来る　3　（**ア**．place　**イ**．pack
age）である。

　4つめは、いかに製品を認知してもらうかの　4　（**ア**．priority　**イ**．promotion）
である。

　そしてこれらを合わせてマーケティングの　5　（**ア**．4P　**イ**．4C）と呼ばれて
いる。

解答：1.ア　2.ア　3.ア　4.イ　5.ア

問14　下記は、ファッション店舗におけるマーケティングに関する文章です。

　　　　□の中にあてはまる言葉を、語群（ア～ク）から選び、解答番号の記号

　　　　をマークしなさい。

　店舗は、お客様と出会う場である。お客様に満足のいく快適な買い物環境を提供するには
お客様の欲求を調査し、　1　する必要がある。また、店舗には商品販売だけでなく、店
舗　2　に適応して地域社会に受け入れられるために、何らかの貢献をすることが必要で
ある。そのためには、地域社会の市場動向や　3　を知り地域住民との　4　を図る、
すなわち　5　によって地域との信頼関係を築くことも大切である。

ア	立地環境	イ	コミュニケーション	ウ	生活環境	エ	プロダクトアウト
オ	分析	カ	店舗	キ	エリア マーケティング	ク	マーチャン ダイジング

解答：1.オ　2.ア　3.ウ　4.イ　5.キ

問15　下記a〜eは、インターネットを利用した販売に関する問題です。□□□の中にあてはまる言葉を、それぞれの語群（ア〜ウ）から選び、解答番号の記号をマークしなさい。

a．インターネットを利用した商取引であるＥＣとは　1　の略である。

b．ネットモールとは　2　の意味である。

c．自社のＨＰを検索サイトで順位をあげる手法を　3　という。

d．店舗での商品販売と、インターネット上のバーチャル店舗での販売を連携させた、新しい購買スタイルやそれらの取り組みを　4　という。

e．インターネット上から、実店舗での購買を促す戦略を　5　という。

1の語群	ア	エキスパンド広告	イ	エレクトロニック・コマース	ウ	エンゲージメント
2の語群	ア	電子商店街	イ	百貨店	ウ	人的販売
3の語群	ア	ＳＥＯ	イ	ＳＮＳ	ウ	ＰＯＳ
4の語群	ア	オムニチャネル	イ	カスタマージャーニー	ウ	ブランディング
5の語群	ア	Ｏ２Ｏ	イ	Ｂ２Ｃ	ウ	Ｍ＆Ａ

解答：1.イ　2.ア　3.ア　4.ア　5.ア

問16　下記a～eは、マーケティングに関連した用語に関する問題です。それぞれ
　　　の設問に対する解答を、それぞれの（ア～ウ）から選び、解答番号の記号を
　　　マークしなさい。

a．次のうち、「商圏」の意味として正しいものを選びなさい。　　　　　 | 1 |
　　ア．店舗が及ぼす影響の勢力範囲（集客できる範囲）
　　イ．店舗スタッフの通勤できる範囲
　　ウ．宣伝活動として送るダイレクトメールの送付地域

b．「ＳＷＯＴ分析」とは、４つの要因で構成されているが正しい組み合わせを選びなさい。
　　ア．「計画」・「実行」・「検証」・「修正」　　　　　　　　　　　　 | 2 |
　　イ．「強み」・「弱み」・「貢献」・「評価」
　　ウ．「強み」・「弱み」・「機会」・「脅威」

c．パブリックリレーションズ（ＰＲ）の説明で正しいものを選びなさい。 | 3 |
　　ア．お客様と良好な関係を保つための広報活動
　　イ．メーカー直接の流通チャネル
　　ウ．販売スタッフが直接、お客様に接する販売活動

d．メディアに報道として、自社に関する内容を取り上げてもらう活動のことを何と言うか
　　正しいものを選びなさい。　　　　　　　　　　　　　　　　　　　 | 4 |
　　ア．ノベルティ
　　イ．パブリシティー
　　ウ．ＱＲＳ

e．ダイレクトマーケティングの説明で正しいものを選びなさい。　　　 | 5 |
　　ア．電話やメールなどで、お客様に直接働きかけるマーケティング活動
　　イ．インターネットを活用したマーケティング活動
　　ウ．「バズ」ともいい、人から人へと伝わるコミュニケーション

解答：1．ア　2．ウ　3．ア　4．イ　5．ア

問17 下記は、ターゲットマーケティングに関する文章です。 ▢ の中にあてはまる言葉を、語群（ア～ク）から選び、解答番号の記号をマークしなさい。

　購買ニーズが ▢1 な現代では、誰にでも対応する幅広い品揃えの「 ▢2 マーケティング」とは異なり、市場を細分化して対象 ▢3 を決め、他店との ▢4 を図っていく「 ▢5 マーケティング」が主流である。

ア	セグメンテーション	イ	マス	ウ	顧客	エ	一見客
オ	同質化	カ	差別化	キ	多種多様	ク	多品種小ロット

解答：1.キ　2.イ　3.ウ　4.カ　5.ア

問18 下記a〜eは、生活行事に基づいた売場での販促に関する問題です。それぞ
れによりあてはまる月を、それぞれの（ア・イ）から選び、解答番号の記号
をマークしなさい。

a．初売り　新生活準備　　　　　　　　　　　　　　　　　1

　ア．1月

　イ．2月

b．クリアランスセール　夏のレジャー販促　　　　　　　　2

　ア．6月

　イ．7月

c．ハロウィーン販促　七五三需要　　　　　　　　　　　　3

　ア．9月

　イ．10月

d．母の日　こどもの日　ブライダルフェア　　　　　　　　4

　ア．4月

　イ．5月

e．クリスマス　新年準備　　　　　　　　　　　　　　　　5

　ア．11月

　イ．12月

解答：1.ア　2.イ　3.イ　4.イ　5.イ

問19 下記は、マーケティングの基礎知識に関する問題です。 ☐ の中にあては まる言葉を、語群（ア～ク）から選び、解答番号の記号をマークしなさい。

　マーケティングとは、店舗がお客様の欲求する ☐ 1 ☐ を的確にとらえ、需要と供給のバランスを図っていく一連の流れに沿って、より多く販売するための手法である。

　一連の流れとは、お客様が何を求めているのかを ☐ 2 ☐ し、商品の開発や ☐ 3 ☐ 、 ☐ 4 ☐ の設定、商品構成、 ☐ 5 ☐ 、販売方法、サービスなどに生かす仕組みである。

ア	調査	イ	ターゲット	ウ	仕入れ	エ	人材
オ	商品やサービス	カ	動向	キ	価格	ク	宣伝広告

解答：1.オ　2.ア　3.ウ　4.キ　5.ク

問20　下記は、マーケティングの概念と変遷に関する問題です。[　　　]の中にあてはまる言葉を、語群（ア〜ク）から選び、解答番号の記号をマークしなさい。

［マーケティングの概念と変遷］

生産志向の マーケット	物不足の市場では製品（商品）の生産が第一となる。

↓

製品（商品）重視の マーケット	生活やファッションに対してある程度の満足度を持つと、さらに[1]のものへと欲求が高まる。そのことで良い製品（商品）の生産重視が優先する。

↓

販売志向の マーケット	人々の生活にものが十分にいきわたると、何もしなければ売れない市場となる。商品販売をするための[2]概念が求められる。

↓

顧客志向の マーケット	大衆市場のマスマーケティングの[3]から、お客様視点で捉えた顧客志向の[4]となる。

↓

社会志向の マーケット	市場のグローバル化に伴い、視点を[5]に置いた概念のマーケティング活動が求められる。

ア	マーケットイン	イ	低価格	ウ	高品質	エ	戦略的
オ	プロダクトアウト	カ	社会的環境	キ	顧客志向	ク	接客

解答：1.ウ　2.エ　3.オ　4.ア　5.カ

— 49 —

問21　下記は、「マーケティング要素」に関する文章です。[＿＿＿]に当てはまる言葉を語群（ア〜ク）から選び解答番号の記号をマークしなさい。

　現代マーケティングの第一人者[　1　]は「製品には５つの次元がある」と指摘しており、店頭商品に置き換えて考えると「５つの商品価値」として捉えることができ、次のようなことが言える。

①「[　2　]価値」お客様が求めているのは、その商品から得られる効果という使用価値である。

②「[　3　]価値」この商品なら最低限これだけの内容は備えていて当然といった価値をいう。

③「[　4　]価値」お客様の期待通りの商品価値をいう。

④「期待以上の価値」お客様の期待以上だった商品価値をいう。

⑤「[　5　]価値」今は必需品ではないが、ゆくゆくは購入したいと思える夢の持てる商品をいう。

ア	便益	イ	フィリップコトラー	ウ	ピーター・ドラッカー	エ	潜在的
オ	基本的	カ	期待に応える	キ	顧客満足	ク	顕在的

解答：1.イ　2.ア　3.オ　4.カ　5.エ

問22　下記a～eは、価格の設定に関する問題です。正しいものには解答番号の記号アを、誤っているものには記号イをマークしなさい。

a．価格の設定は購入の判断に大きく関わることであり、安ければ確実に売れる。　□1

b．需要対応型価格設定とは、お客様が納得する値ごろ感を狙った価格設定である。

　　　　　　　　　　　　　　　　　　　　　　　　　　　　　　　　　　□2

c．コスト対応型価格設定とは、「原価」に「値入額」を加えて「売値」を決める方法である。

　　　　　　　　　　　　　　　　　　　　　　　　　　　　　　　　　　□3

d．競争比較対応型価格設定とは、競合店と比較して価格のバランスをとる価格設定の方法
　　である。　　　　　　　　　　　　　　　　　　　　　　　　　　　　□4

e．価格設定は、決定手法を守るよりもお客様のニーズや市場動向に応じて柔軟に対応する
　　ことが望ましい。　　　　　　　　　　　　　　　　　　　　　　　　□5

解答：1.イ　2.ア　3.ア　4.ア　5.ア

問23　下記は、近年注目されているマーケティング手法に関する問題です。□□□□の中にあてはまる言葉を、それぞれの（ア・イ）から選び、解答番号の記号をマークしなさい。

特定のコミュニティにおいて他のユーザーへ「口コミ」の影響力が強い人物を　1　（ア．ユーチューバー　イ．インフルエンサー）という。従来は　2　（ア．カスタマー　イ．芸能人）などメディアに露出が多い人物のことを指していたが、現在では多くの　3　（ア．フォロワー　イ．ブロガー）を持つ　4　（ア．一般人　イ．ＡＩ）も活躍する時代になっている。「口コミ」の影響力が強い人物から消費者の　5　（ア．販売活動　イ．購買行動）に影響を与える新しいマーケティング手法がファッション業界でも注目されている。

解答：1.イ　2.イ　3.ア　4.ア　5.イ

問24　下記はマーケティング手法に関する文章です。□□□の中にあてはまる言葉を、語群（ア〜ク）から選び、解答番号の記号をマークしなさい。

　現在の市場では　1　なニーズに対応するために、市場を　2　し、その中の1つないしいくつかに　3　し、自社の製品をその市場特有のニーズに適合するように　4　していく。この3つのプロセスを　5　という。

ア	ポジショニング	イ	マスマーケティング	ウ	ターゲティング	エ	セグメンテーション
オ	チャネル	カ	多様	キ	ターゲットマーケティング	ク	同質化

解答：1.カ　2.エ　3.ウ　4.ア　5.キ

A 科目

店舗運営管理

問1　下記a～eは、店の計数管理に関する文章です。 □ の中にあてはまるものを、それぞれの（ア・イ）から選び、解答番号の記号をマークしなさい。

a．セレクトショップでは、仕入れ価格が □1□ （ア．高い　イ．安い）ほど、利益は少なくなる。

b．同じ売上高の場合、買い上げた客数が少ないほど、一人のお客様が購入した金額は □2□ （ア．高く　イ．低く）なる。

c．お客様の購入した金額が同じである場合、商品単価が安いほど、買い上げ点数は □3□ （ア．多く　イ．少なく）なる。

d．同じ売上高の場合、販売スタッフの数が多いほど、一人の販売スタッフの売上高は □4□ （ア．高く　イ．低く）なる。

e．セレクトショップで、販売価格10,000円のワンピースを掛率55％で仕入れた場合、仕入価格は □5□ （ア．4,500円　イ．5,500円）である。

解答：1.ア　2.ア　3.ア　4.イ　5.イ

問2　下記a〜dは、商品分類に関する文章です。　　　　　の中にあてはまる言葉を、それぞれの（ア・イ）から選び、解答番号の記号をマークしなさい。

a．品目による分類とは、　1　（ア．アイテム　イ．ディテール）による分類のことである。

b．Tシャツは　2　（ア．布帛　イ．ニット）類に属するが、さらに細かく　3　（ア．カットソー　イ．カッターシャツ）として分類される場合もある。

c．通常、ビンテージはアンティークよりも制作された年代が　4　（ア．古い　イ．新しい）。

d．いわゆる売れ筋商品とは、　5　（ア．在庫回転率　イ．商品収益率）がきわめて高い商品をさす。

解答：1.ア　2.イ　3.ア　4.イ　5.ア

問3　下記a～eは、価格に関する用語とその意味の組み合わせです。□□□□の中にあてはまる言葉を、語群（ア～ク）から選び、解答番号の記号をマークしなさい。

a.　□1□プライス＝お買い得価格

b.　□2□プライス＝正価

c.　プライス□3□＝価格に対する意識

d.　□4□プライス＝高価格

e.　□5□プライス＝最終価格

ア	ミドル	イ	コンシャス	ウ	ボリューム	エ	ファイナル
オ	ハイエンド	カ	ベター	キ	バジェット	ク	プロパー

解答：1.キ　2.ク　3.イ　4.オ　5.エ

問4　下記a～eは、お直しに関する文章です。　　　　　の中にあてはまるものを、
　　　それぞれの（ア・イ）から選び、解答番号の記号をマークしなさい。

a．お直しを受ける時は、　1　（ア．仕入先への確認　イ．正確な採寸）を行うのが大
　　前提となる。

b．Ｔシャツとドレスのうち、販売時に、よりお直しを要するのは　2　（ア．前者　イ．
　　後者）の方である。

c．ボトムスで、ウエストがドローストリングのものとインサイドベルト付きのものとでは、
　　ウエストサイズを直さずに販売する可能性が高いのは　3　（ア．前者　イ．後者）
　　の方といえる。

d．お直しの内容は、必ず　4　（ア．リサイクル　イ．リフォーム）伝票に記入する。

e．お直し上がりの商品を取りに見えたお客様には、　5　（ア．試着をしていただく
　　イ．包装を済ませておき迅速にお渡しする）のが望ましい。

解答：1.イ　2.イ　3.ア　4.イ　5.ア

問5　下記a～eは、店舗出店・運営に関する文章です。それぞれに対して、基本的にリアルショップが有利と思われるものには、解答番号の記号アを、ネットショップが有利と思われるものには、記号イをマークしなさい。

a．開業資金を抑える。　　　　　　　　　　　　　　　　　　　[1]

b．丁寧な接客サービスが提供できる。　　　　　　　　　　　　[2]

c．試着をして体型に合った商品を選び、納得して購入していただける。　[3]

d．24時間の営業体制で、商品の提供ができる。　　　　　　　[4]

e．お客様に商品の素材の風合いや着心地を体感してもらえる。　[5]

解答：1.イ　2.ア　3.ア　4.イ　5.ア

問6　下記a～eは、朝礼で取り上げられる伝達や確認事項に関する文章です。
　　　　 の中にあてはまる言葉を、語群（ア～ク）から選び、解答番号の記号
　　　をマークしなさい。

a．1日の販売目標（予算）と　 1 　 売り上げ目標。

b．キャンペーンや　 2 　の確認。

c．お客様の　 3 　の変化や来店客層の説明。

d．競合する店舗や　 4 　の情報。

e．本社・本部からの　 5 　方針や伝達事項。

ア	競合店別	イ	商業施設	ウ	ポイント	エ	個人別
オ	イベント	カ	営業	キ	年齢	ク	購買行動

解答：1.エ　2.オ　3.ク　4.イ　5.カ

問7　下記a～eは、お直しの基本に関する文章です。□□□□□の中により適切であ
　　　ると思われるものを、それぞれの（ア・イ）から選び、解答番号の記号をマー
　　　クしなさい。

a. 既製服のお直しの基本は、大きいものを小さくする、│　1　│ことで、お客様の身体に
　　合わせてフィットさせることである。
　　ア. 長いものを短くする
　　イ. デザインを変更する

b. お直しを承るときは、お直し箇所をメジャーで測り、│　2　│確認する。
　　ア. ピンを外した後、お客様のいないところで
　　イ. 読み上げながら、お客様の目を見て

c. パンツの丈詰めの場合、鏡の前でひざまずき、裾を軽く│　3　│お客様の好みの長さを
　　確認する。
　　ア. 下げながら
　　イ. 上げながら

d. パンツの裾上げを行う際、│　4　│
　　ア. クリップで行う店はクリップで行う。
　　イ. 必ずピンで行う。

e. お客様へ修理商品の出来上がり日時をお伝えして、│　5　│の控えを渡す。
　　ア. 納品伝票
　　イ. お直し伝票

解答：1.ア　2.イ　3.イ　4.ア　5.イ
‥‥‥

問8　下記a～eは、価格に関する文章です。 [＿＿＿] の中にあてはまる言葉を、語
　　　群（ア～ク）から選び、解答番号の記号をマークしなさい。

a．プロパー価格とは、[1] という意味である。

b．メーカーが設定し、小売店で販売される希望価格のことを、[2] という。

c．一般的に、同じ商品を生産する場合、生産数量を増やした方が価格を [3] 設定する
　　ことができる。

d．プライス [4] とは、価格線や売れ筋商品の価格水準のことである。

e．プライス [5] とは、販売されるアイテムの上限と下限の価格帯の範囲のことである。

ア	ライン	イ	レス	ウ	高く	エ	低く
オ	ゾーン	カ	メーカー希望小売価格	キ	値引き価格	ク	正規の価格

解答：1.ク　2.カ　3.エ　4.ア　5.オ

問9　下記a～eは、販売スタッフの売場管理に関する文章です。□□□□の中にあてはまる言葉を、それぞれの（ア・イ）から選び、解答番号の記号をマークしなさい。

a．開店前の短い時間の中で開店準備の仕事を完了させるためには、□1□が大切である。

　　ア．シフトに関係なくスタッフ全員が出勤し、協力して作業すること

　　イ．余裕をもって出勤すること

b．開店前の主な仕事は、□2□、商品整理である。

　　ア．清掃とレジの開設

　　イ．棚卸しとレジの精算

c．開店前・閉店後に行う清掃は、特に入り口付近のごみや、□3□などに気をつけて行う。

　　ア．什器のほこり、ガラスや鏡の指紋汚れ

　　イ．日常清掃しにくいバックヤード

d．レジの開設はマニュアルにそって行い、釣り銭は□4□入れる。

　　ア．種類別に確認してお札の向きを揃えて

　　イ．種類を分けずに

e．開店前の商品整理では、□5□、取り出しやすいように商品を整える。

　　ア．スタッフが接客しやすく

　　イ．お客様が見やすく、選びやすく

解答：1.イ　2.ア　3.ア　4.ア　5.イ

問10　下記a～eは、売場でのお客様への対応に関する文章です。　　　　　の中により適切であると思われるものを、語群（ア～ク）から選び、解答番号の記号をマークしなさい。

a．販売スタッフの仕事は、お客様が入りやすく、心地良く時間を過ごせるなどの　1　づくりが大切である。

b．商品整理では、色やサイズの品切れ、　2　、値札落ちなどの不備も確認する。

c．商品整理を行いながら、商品に触れることで、商品の特性やセールスポイントの理解につながり、効果的な　3　を行うための材料となる。

d．接客では、商品説明に納得して購入、　4　していただくことが大切である。

e．試着を勧めるタイミングは、　5　についての質問が多いときがよい。

ア	サイズ	イ	不良品	ウ	情報	エ	満足
オ	接客	カ	返品	キ	セール	ク	環境

問11 下記a〜eは、朝礼（開店前ミーティング）に関する文章です。正しいと思われるものには、解答番号の記号アを、誤っていると思われるものには、記号イをマークしなさい。

a．朝礼には、開店前に出勤しているスタッフが参加する。　　　　　　　　| 1 |

b．店長やその日の責任者が、確認や注意事項、引き継ぎ事項を伝達する。　| 2 |

c．朝礼は個人の行動目標を共有する場ではない。　　　　　　　　　　　| 3 |

d．朝礼では短時間で簡潔に伝えることと、事前にテーマを設定したり、曜日別に内容を変えたりするなどの工夫が大切である。　　　　　　　　　　　　| 4 |

e．ディスカッションが必要な内容でも、必ず開店前に行う。　　　　　　| 5 |

解答：1.ア　2.ア　3.イ　4.ア　5.イ

問12　下記a～eは、採寸とお直しに関する文章です。□□□の中により適切であると思われるものを、語群（ア～ク）から選び、解答番号の記号をマークしなさい。

a. お客様が試着して、パンツの裾上げやスカートの丈詰めを希望された場合は、□1□をしてお直しを承る。

b. 既製服のお直しの基本は、「□2□する、長いものを短くする」ことである。

c. リフォームのようにデザイン変更になってしまうようなお直しは、クレームになる可能性があるので、お直しの承りは□3□にして、無理なお直しは受けないようにする。

d. お直しの承り方は、お直し箇所を□4□で測り、読み上げながら、お客様の目を見て確認する。

e. お客様へ修理商品の出来上がり日時をお伝えして、□5□のお客様控えを渡す。

ア	メジャー	イ	客注伝票	ウ	大きいものを小さく	エ	最小限
オ	最大限	カ	採寸	キ	小さいものを大きく	ク	お直し伝票

解答：1.カ　2.ウ　3.エ　4.ア　5.ク

問13 下記a〜eは、会計業務に関する文章です。□□□の中にあてはまる言葉を、それぞれの（ア・イ）から選び、解答番号の記号をマークしなさい。

a．クレジットカード精算の場合は［ 1 ］の順にお渡しする。

　ア．伝票、商品、クレジットカード

　イ．クレジットカード、伝票、商品

b．クレジットカードを使用してお買い上げいただいた場合には、「［ 2 ］控え」にサインをいただく。

　ア．お客様

　イ．カード会社

c．商品代金は両手で受け取るか、［ 3 ］で受け取る。

　ア．バインダー

　イ．カルトン

d．釣り銭の渡し方は、お札やレシートの［ 4 ］に小銭を揃えて置く。

　ア．上

　イ．下

e．お待たせしているお客様がいない場合は、［ 5 ］でお見送りをすると好ましい。

　ア．レジ

　イ．店の出口

解答：1.イ　2.イ　3.イ　4.ア　5.イ

問14　下記a～eは、店舗の精算業務に関する文章です。正しいと思われるものには、解答番号の記号アを、誤っていると思われるものには、記号イをマークしなさい。

a．精算業務は、原則として午前と午後に分けてシフトの責任者が行う。　　　|　1　|

b．レジで精算レポートを出力し、レジから翌日の釣り銭を抜き、釣り銭袋に入れて所定の場所で保管する。　　　|　2　|

c．レジの精算レポートとクレジット売上金額と、クレジットカードの控えを照合する。

|　3　|

d．商品券がある場合、枚数と金額を数えれば、精算レポートと照合する必要はない。

|　4　|

e．金額などが一致しなくても、一度数えれば精算は確定する。　　　|　5　|

問15 下記a～eは、商品管理に関する文章です。 ____ の中により適切であると
　　　思われるものを、語群（ア～ク）から選び、解答番号の記号をマークしなさい。

a. 納品されたダンボールを開ける際、 ____1____ は商品を傷つける恐れがあるので使用し
ない。

b. ダンボールから商品を取り出したら、 ____2____ と照合する。

c. 店頭出しする商品は、 ____3____ を輸送用のものから陳列用のものに替える。

d. ストックルームで商品を ____4____ する場合は、小さいサイズから大きいサイズへなどと
決めておく。

e. 店頭の商品をたたみ直すことや、商品量の ____5____ をすることなども、販売スタッフの
大切な仕事である。

ア	生産	イ	ハンガー	ウ	調節	エ	納品伝票
オ	請求書	カ	ハンギング	キ	展示	ク	カッター

解答：1.ク　2.エ　3.イ　4.カ　5.ウ

問16　下記a～eは、キャリアプランに関する文章です。正しいと思われるものには、解答番号の記号アを、誤っていると思われるものには、記号イをマークしなさい。

a．販売スタッフの業務は、店頭の第一線で接客に専念するだけでよい。　　　　　　　　□1

b．店長は店舗の責任者であるため、販売管理や商品管理、予算管理、顧客管理、販売スタッフ育成などの、すべてをマネジメントする必要はない。　　　　　　　　□2

c．エリアマネージャーとは、決まったエリアの統括責任者のことで、ブロック長、地区長、支部長と呼ぶこともある。　　　　　　　　□3

d．ディストリビューターとは、店舗の立地・面積・客層・売上などをもとに、店舗間の在庫を調整し、本部と店舗の商品計画のズレを解消する職種である。　　　　　　　　□4

e．バイヤーは、メーカーのショールームや展示会を回り、買い付けをする仕入れ担当者であり、いかなる予算も持ってはいない。　　　　　　　　□5

解答：1.イ　2.イ　3.ア　4.ア　5.イ

問17　下記a～eは、売場でのお客様への対応に関する文章です。□□□□□の中にあ
　　　てはまる言葉を、語群（ア～ク）から選び、解答番号の記号をマークしなさい。

a．販売スタッフの第一歩は、お客様が入りやすい環境づくりから始まる。入りやすい雰囲
　　気とは　1　で明るく、親しみを感じる店のことをいう。

b．販売スタッフの一番重要な仕事である接客には、お客様に声をかけるアプローチから
　　2　、そしてお買い上げいただいたお客様をお見送りするまでのステップがある。

c．販売スタッフは、お客様が入りにくい雰囲気を感じないように、お客様を意識しながら
　　3　などをして待機する。

d．待機中の「おたたみ」では、商品の特性を確認しながら、多くの着こなしの　4　を
　　想定しながら行うことが有効である。

e．　5　を勧めるタイミングとして、鏡の前で商品を身体に当てているときや、ひと通
　　りの商品説明をした後などがよい。

ア	会計	イ	バリエーション	ウ	プロセス	エ	商品整理
オ	試着	カ	クロージング	キ	清潔	ク	清掃

解答：1.キ　2.カ　3.エ　4.イ　5.オ

問18　下記a〜eは、販売スタッフの売場管理に関する文章です。 ［　　　　］の中にあてはまる言葉を、語群（ア〜ク）から選び、解答番号の記号をマークしなさい。

a．開店前に行う販売スタッフの主な仕事は、清掃と ［　1　］、商品整理である。

b．開店前の短い時間で作業を進めるために、作業内容に応じて ［　2　］を持って出勤することが大切である。

c．お客様に気持ちよく買い物をしていただくために、開店前の清掃では、床、棚、鏡、 ［　3　］、レジ回りなど、お客様の目の届くところを中心に行う。

d．お客様が多い店では、すぐに商品陳列が乱れてしまうが、 ［　4　］せず常に商品整理をすることが大切である。

e．商品整理では、色やサイズの品切れ、 ［　5　］、値札落ちなどがないかを確認しながら行う。

ア	ストックルーム	イ	放置	ウ	余裕	エ	不良品
オ	開放	カ	試着室	キ	レジの開設	ク	ハンギング

解答：1.キ　2.ウ　3.カ　4.イ　5.エ

問19　下記a〜eは、朝礼で取り上げられる伝達や確認事項に関する文章です。正しいと思われるものには解答番号の記号アを、誤っていると思われるものには記号イをマークしなさい。

a．売り場の1日の販売目標（予算）と個人別売り上げ目標を確認する。　　　　　　　　　　　　　　　　　　 1

b．お客様の購買行動の変化や来店客層については説明する必要はない。　　　　　　　　　　　　　　　　　　 2

c．新商品の情報や、競合店の情報も共有する。　　　　　　　　　　　　 3

d．本社・本部からの営業方針などは、店長だけが把握していればよい。　　　　　　　　　　　　　　　　　　 4

e．長時間のディスカッションを必要とするものは、閉店後に行う。　　　　　　　　　　　　　　　　　　 5

解答：1.ア　2.イ　3.ア　4.イ　5.ア

問20　下記a〜eは、お直しの基本に関する文章です。正しいと思われるものには解
　　　答番号の記号アを、誤っていると思われるものには記号イをマークしなさい。

a．お直しを受けるには、正確な採寸をすることが前提である。 　　　　　| 1 |

b．既製服のお直しの基本は、デザイン変更してもお客様の好みに仕上げることである。
　　　　　　　　　　　　　　　　　　　　　　　　　　　　　　　　　| 2 |

c．お直しを承る際は、お客様に修理商品のお渡し日を伝え、納品伝票の控えを渡す。
　　　　　　　　　　　　　　　　　　　　　　　　　　　　　　　　　| 3 |

d．ピン打ちには店のルールがあるので、パンツの裾上げをクリップで行う店は、クリップ
　　でしっかりととめる。 　　　　　　　　　　　　　　　　　　　　| 4 |

e．シルエットが崩れるようなお直しはクレームにつながるので、無理なお直しは受けない
　　ようにする。 　　　　　　　　　　　　　　　　　　　　　　　　| 5 |

解答：1.ア　2.イ　3.イ　4.ア　5.ア

問21　下記a〜eは、会計業務に関する文章です。□□□の中にあてはまる言葉を、それぞれの（ア・イ）から選び、解答番号の記号をマークしなさい。

a．POSレジの「POS」とは、□1□の略である。
　　ア．place of purchase
　　イ．point of sales

b．商品の代金は両手で受け取るか、□2□で受け取る。
　　ア．カートン
　　イ．カルトン

c．クレジットカード使用時に、サインではなくお客様に暗証番号を入力していただく場合、その動作を販売スタッフは□3□。
　　ア．目視しない
　　イ．目視して確認する

d．お客様がクレジットカードを使用した場合、店側に手数料の□4□。
　　ア．負担が生じる
　　イ．負担が生じることはない

e．現金による精算の場合、基本的に□5□。
　　ア．レシートと釣り銭を先に渡し、商品は最後に渡す。
　　イ．商品を先に渡し、レシートと釣り銭を最後に渡す

解答：1.イ　2.イ　3.ア　4.ア　5.ア

問22　下記a〜eは、精算業務に関する文章です。正しいと思われるものには解答
　　　番号の記号アを、誤っていると思われるものには記号イをマークしなさい。

a．１日の最後には、精算業務、レジ締めを行う。　　　　　　　　　　$\boxed{1}$

b．レジの現金を数え、金種別に納金表に金額を記入するだけで、精算レポートと照合する
　　必要はない。　　　　　　　　　　　　　　　　　　　　　　　　$\boxed{2}$

c．商品券がある場合、金額と枚数を数えるだけでよい。　　　　　　$\boxed{3}$

d．金額などが一致しない場合は、金額の登録ミスや取り消し忘れがないかなど、最初から
　　数え直しを行う。　　　　　　　　　　　　　　　　　　　　　　$\boxed{4}$

e．数え直しても金額が一致しない場合、納金表を修正すれば確定するので、上司に報告す
　　る必要はない。　　　　　　　　　　　　　　　　　　　　　　　$\boxed{5}$

解答：1.ア　2.イ　3.イ　4.ア　5.イ

問23　下記 a ～ e は、お取り置きと客注（お取り寄せ）の対応に関する文章です。
　　　正しいと思われるものには解答番号の記号アを、誤っていると思われるもの
　　　には記号イをマークしなさい。

a．購入を迷っているお客様に対して、販売スタッフからお取り置きをお勧めすることはし
　　ない。　　　　　　　　　　　　　　　　　　　　　　　　　　　　　　　　　　1

b．お取り置きを承る際、所定の期間中に引き取りがなかった場合は、店頭に戻すことを伝
　　える。　　　　　　　　　　　　　　　　　　　　　　　　　　　　　　　　　　2

c．商品にお取り置き伝票をつけ、ストック商品と区別して保管する。　　　　　　　3

d．客注とは、店頭にお客様の欲しい色やサイズなどがない場合、他店の在庫を確認して、
　　在庫があれば発注することである。　　　　　　　　　　　　　　　　　　　　　4

e．客注伝票に名前と住所を記入してもらうだけで、控えを渡す必要はない。　　　　5

解答：1.イ　2.ア　3.ア　4.ア　5.イ

問24　下記a〜dは、店舗計数に関する文章です。　☐　の中にあてはまる言葉を、語群（ア〜ク）から選び、解答番号の記号をマークしなさい。

a. 店舗の計数管理の中で、販売スタッフが一番把握すべき計数は　1　とそれに対する　2　である。

b. 店舗予算だけでなく、　3　を設定している店舗では、その予算に対する意識をスタッフ一人ひとりが持って、仕事に取り組むことが求められる。

c. 購入客の1人当たりの売り上げ総数のことをあらわす　4　が高いほうが、お客様に対して複数の販売ができていることになる。

d. 入店客の中で、実際に買い物をしたお客様の比率を　5　という。

ア	セット率	イ	客単価	ウ	買い上げ率	エ	商品点数
オ	売上高	カ	個人予算	キ	価格	ク	予算

解答：1.ク　2.オ　3.カ　4.ア　5.ウ

問25　下記a～eは、キャリアプランに関する文章です。 [   ] の中にあてはまる
　　　言葉を、それぞれの（ア・イ）から選び、解答番号の記号をマークしなさい。

a．ファッション販売に携わる人の [1] は、会社によってさまざま違う。

　　ア．キャリアサイクル

　　イ．キャリアパス

b． [2] は、店舗の責任者で販売管理や商品管理・予算管理・顧客管理・販売スタッフ
　　育成やＶＭＤなどの売り場環境整備までをマネジメントする。

　　ア．スーパーバイザー

　　イ．ショップマネジャー

c． [3] は、販売スタッフに販売マナーや接客技術を指導する専門職である。

　　ア．ビジュアルマーチャンダイザー

　　イ．セールスインストラクター

d． [4] は、店舗のコンセプトや品揃え計画立案から、全体の予算組みや利益・原価計
　　算までを行う担当者で、ブランドや小売店の司令塔の役割を担っている。

　　ア．マーチャンダイザー

　　イ．ディストリビューター

e． [5] は、ファッション誌やテレビなどのマスコミ媒体、ファッションスタイリスト
　　への衣装提供や貸し出しの担当者である。

　　ア．プレス

　　イ．バイヤー

解答：1.イ　2.イ　3.イ　4.ア　5.ア

B科目

ファッション販売技術

問1　下記は、ファッション購買心理への対応に関する文章です。　　　　の中にあてはまる言葉を、語群（ア〜ク）から選び、解答番号の記号をマークしなさい。

　　新たな商業施設の開設が続きオーバーストアが進展する中、お客様の「どの店の商品も似通っている」という　1　を指摘する声も少なくない。確かに、ＩＴ（＝　2　技術）が浸透した現代社会においては、データ分析の結果から　3　商品情報が周知される傾向がある。しかし、本来のファッション専門店の使命は、自店の　4　な品揃えからライバル店との　5　を図ることにある。

ア	個性的	イ	情報	ウ	見せ筋	エ	同質化
オ	低額	カ	差別化	キ	電子	ク	売れ筋

解答：1.エ　2.イ　3.ク　4.ア　5.カ

問2　下記は、お客様と販売スタッフの会話文です。 [＿＿＿＿] の中にあてはまる言葉を、それぞれの（ア・イ）から選び、解答番号の記号をマークしなさい。

販売スタッフ：「いらっしゃいませ。シャツをお探しですか？」

お　客　様　：「ええ、デニムに合わせてカジュアルなシャツを探しているのですが…」

販売スタッフ：「それでしたら、英国調の [1] （ア．マドラス　イ．タータン）チェックのシャツはいかがでしょうか？チェック柄はコーディネートのポイントにもなるのでお奨めです」

お　客　様　：「そうですね。チェックの地色は赤だけですか？」

販売スタッフ：「他に、落ちついた色でしたら青地に [2] （ア．茶　イ．緑）と黒の格子柄の [3] （ア．ブラックウォッチ　イ．タッタソール）があります」

お　客　様　：「きれいな色で着心地もよさそうね」

販売スタッフ：「こちらのシャツは綿 [4] （ア．サテン　イ．ネル）で、起毛した柔らかい毛が表面を覆っているので肌馴染みがよく、 [5] （ア．しゃり感　イ．保温性）もあって冬には最適な素材です」

〈以下省略〉

解答：1.イ　2.イ　3.ア　4.イ　5.イ

問3　下記a～eは、企業組織に関する文章です。　　　　　の中にあてはまるものを、
　　　それぞれの（ア・イ）から選び、解答番号の記号をマークしなさい。

a.　　1　　は、企業や団体において組織全体に関する事務を担当する部署である。

　　ア．経理部

　　イ．総務部

b.　現在の会社法においては、今後　　2　　を新たに設立することはできない。

　　ア．合資会社

　　イ．有限会社

c.　ライン部門とスタッフ部門という分け方があるが、　　3　　はライン部門に属する。

　　ア．事務担当者

　　イ．販売員

d.　企業における専務取締役と常務取締役を比較した場合、より広く一般的な業務を監督す

　　るのは　　4　　の方である。

　　ア．専務取締役

　　イ．常務取締役

e.　現在の会社法で定められている株式会社設立時の最低資本金は　　5　　である。

　　ア．1円

　　イ．1千万円

解答：1.イ　2.イ　3.イ　4.イ　5.ア

問4　下記a〜eは、サービスに関する文章です。 _____ の中にあてはまる言葉を、それぞれの（ア・イ）から選び、解答番号の記号をマークしなさい。

a. お客様に対するサービスではホスピタリティ、すなわち、常に　1　（ア．対峙　イ．歓待）を心掛ける。

b. 販売スタッフの不適切な対応が、　2　（ア．B2B　イ．SNS）で一気に拡散する時代となっているため注意を要する。

c. 来店されたお客様には、素晴らしい購入体験をしていただけるような　3　（ア．ビフォアサービス　イ．インサービス）の提供を心掛ける。

d. 　4　（ア．レイヤードルック　イ．セットアップ）を推しているショップでは、それぞれの単品の組み合わせバランスに対するアドバイスが重要となる。

e. お客様が購入した「お気に入り商品」に対しては、いつでも何度でも　5　（ア．メンテナンス　イ．リサイクル）サービスを提供するのが今や常識といえる。

解答：1.イ　2.イ　3.イ　4.ア　5.ア

問5　下記a・bは、近年の変化した消費行動への対応に関する文章です。 □□□ の中にあてはまる言葉を、語群（ア〜ク）から選び、解答番号の記号をマークしなさい。

a. ファッション市場の成熟化が進展すると、お客様の志向は多様化・ 1 化に向かう。ところが近年、商業施設のフロア構成が類似したテナントに偏る、すなわち 2 化傾向が進んだ。これに対処すべくこの春、商業施設の 3 が相次いだ。

b. 今やスマホ活用は、完全に人々の生活に組み込まれている。そのため、ファッション企業も、ユーザーの使い勝手のよいアプリ（＝アプリケーション 4 ）を開発するなどの 5 対応を強化している。

ア	個性	イ	ハード	ウ	リニューアル	エ	同質
オ	デジタル	カ	差別	キ	ハイタッチ	ク	ソフト

解答：1.ア　2.エ　3.ウ　4.ク　5.オ

問6　下記は、お客様と販売スタッフの会話文です。[　　　]の中にあてはまる言葉を、語群（ア～ク）から選び、解答番号の記号をマークしなさい。

お　客　様　：「すみません。パンツの試着をしてもいいですか？」

販売スタッフ：「かしこまりました。パンツ1点のご試着ですね。[　1　]はこちらでよろしいでしょうか？」

お　客　様　：「はい」

> 販売スタッフはパンツをお預かりして、お客様の斜め[　2　]を気遣いながら歩いて試着室まで案内する。

販売スタッフ：「お待たせいたしました。こちらへどうぞ」

> お客様を試着室まで誘導したら、[　3　]やボタンを外してお渡しする。

販売スタッフ：「ごゆっくりどうぞ。お召しになりましたら、外の鏡でご覧くださいませ」

> 販売スタッフは、お客様の試着中に[　4　]する商品の準備をしておくとよい。

〈お客様がパンツを試着して試着室から出て来る〉

販売スタッフ：「お疲れ様です。お色やシルエットがとてもお似合いですね。こちらの素材はストレッチ素材ですが、[　5　]はいかがでしょうか？」

〈以下省略〉

ア	コーディネート	イ	しつけ糸	ウ	前	エ	色や着丈
オ	後	カ	色やサイズ	キ	はき心地	ク	ファスナー

解答：1.カ　2.ウ　3.ク　4.ア　5.キ

問7　下記a〜eは、販売スタッフの言葉づかいに関する問題です。設問に対してより適切と思われるものを、それぞれの（ア・イ）から選び、解答番号の記号をマークしなさい。

a．上司が自分よりも先に帰宅する際の言い方。　　　　　　　　　　　　1

　　ア．「ご苦労様でした」

　　イ．「お疲れ様でした」

b．レジで複数の商品を購入するお客様に対して、確認する際の言い方。　2

　　ア．「こちらの3点で、よろしかったでしょうか」

　　イ．「こちらの3点でよろしゅうございますか」

c．お客様の申し出を理解した旨を伝える際の言い方。　　　　　　　　　3

　　ア．「了解いたしました」

　　イ．「承知いたしました」

d．必要があり再度、店に来たお客様に対する言い方。　　　　　　　　　4

　　ア．「ご足労をおかけいたしました」

　　イ．「ご尽力をおかけいたしました」

e．お客様にコーヒーを奨める際の言い方。　　　　　　　　　　　　　　5

　　ア．「どうぞ、お召し上がりください」

　　イ．「どうぞ、お飲みください」

解答：1.イ　2.イ　3.イ　4.ア　5.ア

問8　下記 a～e は、接客サービスに関する文章です。　□□□□の中にあてはまる言葉を、語群（ア～ク）から選び、解答番号の記号をマークしなさい。

a. 接客には常に、「おもてなしの心（＝ | 1 | ）」を持ってあたることが大切となる。

b. 「顧客満足」を意味するＣＳの「Ｓ」は、| 2 | の頭文字である。

c. 「| 3 |サービス」とは、お客様に対する事前のサービスをさす。

d. 「| 4 |セールス」とは、お客様の相談に乗り、より専門的な知識から解決策を示す販売方法である。

e. 「| 5 |サービス」とは、対象商品を設定し、時間を区切って安価で販売する手法をいう。

ア	ビフォア	イ	タイム	ウ	コンサルティング
エ	サイコロジー	オ	ホスピタリティ	カ	イン
キ	サティスファクション	ク	ワゴン		

解答：1.オ　2.キ　3.ア　4.ウ　5.イ

問9　下記a～eは、お客様の志向や意識に関する文章です。正しいと思われるもの
　　　には、解答番号の記号アを、誤っていると思われるものには、記号イをマーク
　　　しなさい。

a．いわゆる「コンサバ客」は、ファッショントレンドの変化に敏感に反応する。　[　1　]

b．プライスコンシャスが高いお客様は、商品価格が高くてもさして気にしない。　[　2　]

c．「トラッド志向」のお客様は、服装における伝統的ルールにこだわりを持っている。
　　　　　　　　　　　　　　　　　　　　　　　　　　　　　　　　　　　　　[　3　]

d．サスティナビリティに対する意識が高いお客様は、商品の過剰包装を好まない。
　　　　　　　　　　　　　　　　　　　　　　　　　　　　　　　　　　　　　[　4　]

e．ドメスティック志向のお客様は、買い物での海外ブランドに対する優先順位が高い。
　　　　　　　　　　　　　　　　　　　　　　　　　　　　　　　　　　　　　[　5　]

解答：1.イ　2.イ　3.ア　4.ア　5.イ

問10　下記a～cは、近年のファッション市場の状況に関する文章です。 ☐ の中にあてはまる言葉を、それぞれの（ア・イ）から選び、解答番号の記号をマークしなさい。

a．「ファッション市場は成熟化した」という表現をよく目にする。成熟化した市場での売上は、 ☐1☐ （ア．高い成長性で　イ．安定的に）推移するといえる。

b．消費者からの「どこの店に行っても似たようなものばかり」という商品の ☐2☐ （ア．同質化　イ．差別化)を指摘する声が聞こえてくる。こうした市場では、 ☐3☐ （ア．ハイエンドライン開発　イ．低価格）競争が起こりやすく、これに打ち勝つには、企業スケールが ☐4☐ （ア．小さい　イ．大きい）という点が有利に働く。

c．ＥＣ市場が拡大する中、 ☐5☐ （ア．ボーダーレス　イ．クローズド）市場を対象とした「越境ＥＣ」の台頭が見られる。

解答：1.イ　2.ア　3.イ　4.イ　5.ア

問11　下記は、お客様と販売スタッフの会話文です。 _____ の中にあてはまる言葉を、それぞれの（ア・イ）から選び、解答番号の記号をマークしなさい。

販売スタッフ：「いらっしゃいませ」

お　客　様：「3歳の女の子の服はどこにありますか？」

販売スタッフ：「3歳でしたら、　1　（ア．ベビー　イ．トドラー）になりますので、あちらのコーナーです。ご案内いたします」

お　客　様：「七五三用に　2　（ア．フォーマル　イ．フォークロア）なワンピースを探しているのですが…」

販売スタッフ：「七五三ですね。おめでとうございます。それでしたら、こちらの白衿が可愛らしい　3　（ア．ベルベット　イ．グログラン）のワンピースはいかがでしょうか？ウエストを絞っていない　4　（ア．プリンセスライン　イ．Aライン）で、伸縮性もあり動きやすくてお奨めです」

お　客　様：「そうですね。七五三にぴったりで普段のお出かけにも使えそうなので、このワンピースに決めます。身内のお祝いで贈り物にしたいので、掛け紙を掛けて、表書きは　5　（ア．七五三内祝　イ．七五三御祝）の内のしで包装をお願いします」

〈以下省略〉

解答：1.イ　2.ア　3.ア　4.イ　5.イ

問12　下記は、お客様と販売スタッフの会話文です。□□□□の中にあてはまる言葉
　　　を、それぞれの（ア・イ）から選び、解答番号の記号をマークしなさい。

販売スタッフ：「いらっしゃいませ。セーターをお探しですか？」

お　客　様　：「はい。グレーのスカートに合うクールな色を探していて…」

販売スタッフ：「寒色系の色でしたら、ネイビーや　1　（ア．ピンク　イ．ブルー）が
　　　　　　　　揃っています」

お　客　様　：「どれもきれいな色ですね。素材は何ですか？」

お　客　様　：「こちらは、ウール100％です。編み目の詰まった　2　（ア．ライト　イ．
　　　　　　　　ハイ）ゲージで、寒くなったらジャケットやコートのインナーとしても使い
　　　　　　　　やすいです」

お　客　様　：「うーん…ウールだと保管や毛玉が気になるな…」

販売スタッフ：「ウール製品で一番注意が必要なのは　3　（ア．防虫　イ．毛抜け）です。
　　　　　　　　原因となる食べこぼしのチェックをしてから、　4　（ア．ドライ　イ．
　　　　　　　　ウエット）クリーニングに出して保管してください。毛玉は、毛玉部分だけ
　　　　　　　　を　5　（ア．切り　イ．つまんで）取ることをお奨めします」

〈以下省略〉

解答：1.イ　2.イ　3.ア　4.ア　5.ア

問13 下記a～eは、商業施設に関する文章です。正しいと思われるものには、解
答番号の記号アを、誤っていると思われるものには、記号イをマークしなさい。

a. 「店子」とは、ファッションビルやＳＣのインショップで販売に従事するスタッフの呼
称である。 　　　　　　　　　　　　　　　　　　　　　　　　　　 1

b. 日本とは異なり、「ＧＭＳ」は米国では大型の百貨店をさす。 　　　　 2

c. 近年のＳＣでは、幅広い客層を取り込む狙いで、飲食や娯楽施設などの業種を増やす傾
向が見られる。 　　　　　　　　　　　　　　　　　　　　　　　　 3

d. 現在、百貨店とファッションビルは、いわゆる「ファミレス企業」の主な出店先となっ
ている。 　　　　　　　　　　　　　　　　　　　　　　　　　　 4

e. 日本ショッピングセンター協会によると、ＳＣの開業数は2016年から２年連続で前年を
下回った。 　　　　　　　　　　　　　　　　　　　　　　　　　 5

解答：1.イ　2.イ　3.ア　4.イ　5.ア

問14　下記a～eは、チェーンストアに関する文章です。◻️◻️◻️の中にあてはまる
　　　ものを、それぞれの（ア・イ）から選び、解答番号の記号をマークしなさい。

a.「スクラップ＆ビルド」とは、不採算店を　1　ことをいう。
　　ア．閉鎖して新店を開設する
　　イ．改装して活性化を図る

b．ボタンラリーチェーンとの区別を明らかにする場合に、　2　のチェーンストアを
　　「レギュラーチェーン」と呼ぶ。
　　ア．任意連鎖
　　イ．単一資本

c．フランチャイズチェーンにおける各店舗は、　3　という位置付けになる。
　　ア．直営店
　　イ．加盟店

d．グローバルＳＰＡ企業の前身は、　4　。
　　ア．すべてが小売店ではない
　　イ．すべて小売店である

e．　5　チェーンでは、セントラルバイイングが基本となる。
　　ア．ＳＰＡ
　　イ．量販店

解答：1.ア　2.イ　3.イ　4.ア　5.イ

— 95 —

問15　下記 a ～ e は、販売スタッフの言葉遣いに関する問題です。それぞれの設問
　　　に対して、より適切と思われるものを、それぞれの（ア・イ）から選び、解
　　　答番号の記号をマークしなさい。

a．ノックして店長室などに入る際の言い方。　　　　　　　　　　　1

　　ア．「入りさせていただきます」

　　イ．「失礼いたします」

b．「お客様が所有しているブラウス」の表現。　　　　　　　　　　2

　　ア．「お手持ちのブラウス」

　　イ．「お手元のブラウス」

c．試着を終えたお客様に対する言い方。　　　　　　　　　　　　　3

　　ア．「ご苦労様でした」

　　イ．「お疲れ様でした」

d．お客様から「差し入れ」をもらった際の言い方。　　　　　　　　4

　　ア．「頂戴いたします」

　　イ．「納入いたします」

e．やむをえず、夜遅くにお客様に電話をする際の切り出し方。　　　5

　　ア．「夜間失敬いたします」

　　イ．「夜分恐れ入ります」

解答：1.イ　2.ア　3.イ　4.ア　5.イ

問16　下記a～eは、販売スタッフの身だしなみに関する文章です。　　　　の中に
　　　よりあてはまる言葉を、それぞれの（ア～ウ）から選び、解答番号の記号を
　　　マークしなさい。

a．販売スタッフがお客様と接する時は、　1　が大切になる。
　　ア．第一印象
　　イ．個性
　　ウ．影響力

b．販売スタッフの基本的な身だしなみは、　2　があることが大切である。
　　ア．統一感
　　イ．清潔感
　　ウ．清涼感

c．販売スタッフの化粧は、店舗の雰囲気にマッチした　3　を心がける。
　　ア．ナチュラルさ
　　イ．独自性
　　ウ．派手さ

d．仕事の妨げになるような高価な指輪や、大ぶりの　4　は控えるようにする。
　　ア．ウイッグ
　　イ．靴
　　ウ．ネックレス

e．香りの好みは人によって感じ方が様々であるため、販売スタッフは、強い　5　を控
　　えるようにする。
　　ア．消臭剤
　　イ．香水
　　ウ．芳香剤

解答：1.ア　2.イ　3.ア　4.ウ　5.イ

問17　下表は、敬語に関する一覧です。 ☐ の中にあてはまる言葉を、語群（ア〜ク）から選び、解答番号の記号をマークしなさい。

常用語	1	2
聞く	お聞きになる	3
言う	おっしゃる	申し上げる
来る	4	参る
思う	思われる	5

ア	おいでになる	イ	うかがう	ウ	存じ上げる	エ	丁寧語
オ	存ずる	カ	謙譲語	キ	いらっしゃる	ク	尊敬語

解答：1.ク　2.カ　3.イ　4.キ　5.オ

問18 下記a〜eは、お辞儀に関する文章です。正しいものには解答番号の記号アを、
　　　誤っているものには記号イをマークしなさい。

a．お客様をお迎えする時やお見送りの時、職場での出退社で使うお辞儀は、腰を30度倒す
　　「敬礼（普通礼)」である。　　　　　　　　　　　　　　　　　　　　　| 1 |

b．お客様に少しお待ちいただく時は、「首礼」を使う。　　　　　　　　　　| 2 |

c．お買い上げいただいたお客様をお見送りするなど、感謝の気持ちを込めて使うお辞儀は
　　「最敬礼」である。　　　　　　　　　　　　　　　　　　　　　　　　　| 3 |

d．商業施設内の通路でお客様とすれ違う時は、20度くらいの「会釈」でお辞儀する。
　　　　　　　　　　　　　　　　　　　　　　　　　　　　　　　　　　　| 4 |

e．接客中であっても、荷物の集荷に来た宅配便の担当者には、無言で「目礼」せず、必ず
　　「会釈」をする。　　　　　　　　　　　　　　　　　　　　　　　　　　| 5 |

解答：1.ア　2.イ　3.ア　4.イ　5.イ

問19 下記は、購買心理プロセスと接客ステップを表した一覧です。 ☐ の中に
あてはまるものを、語群（ア〜ク）から選び、解答番号の記号をマークしな
さい。

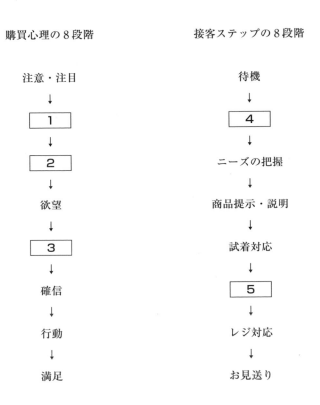

購買心理の8段階　　　　　　接客ステップの8段階

注意・注目　　　　　　　　　　待機
↓　　　　　　　　　　　　　↓
［ 1 ］　　　　　　　　　　［ 4 ］
↓　　　　　　　　　　　　　↓
［ 2 ］　　　　　　　　　ニーズの把握
↓　　　　　　　　　　　　　↓
欲望　　　　　　　　　　商品提示・説明
↓　　　　　　　　　　　　　↓
［ 3 ］　　　　　　　　　　試着対応
↓　　　　　　　　　　　　　↓
確信　　　　　　　　　　　［ 5 ］
↓　　　　　　　　　　　　　↓
行動　　　　　　　　　　　レジ対応
↓　　　　　　　　　　　　　↓
満足　　　　　　　　　　　お見送り

ア	連想	イ	エンディング	ウ	比較検討	エ	関心
オ	アプローチ	カ	興味	キ	オーダー	ク	クロージング

解答：1.カ　2.ア　3.ウ　4.オ　5.ク

問20　下記a〜eは、接客用語に関する文章です。□□□の中に接客にふさわしい
　　　言葉を、それぞれの（ア〜ウ）から選び、解答番号の記号をマークしなさい。

a.　□1□は、品切れやミスがあった時のお詫びの言葉である。

　　ア.　弁解のしようがありません

　　イ.　申し訳ございません

　　ウ.　失礼いたしました

b.　感謝を表す時、代金を受け取った時など、過度にならない限り何度使ってもよい用語は
　　□2□である。

　　ア.　ありがたいことです

　　イ.　痛み入ります

　　ウ.　ありがとうございます

c.　□3□は軽く詫びる時、褒められた時に使う言葉である。

　　ア.　恐れ入ります

　　イ.　恐縮いたします

　　ウ.　とんでもございません

d.　お客様からの注文や何かを依頼された時に使う言葉は、□4□である。

　　ア.　分かりました

　　イ.　かしこまりました

　　ウ.　了解しました

e.　□5□は、やむを得ずお客様をお待たせした時、お詫びの時に気持ちを込めて使う言
　　葉である。

　　ア.　お待ちどうさまでした

　　イ.　遅くなりました

　　ウ.　お待たせ致しました

解答：1.イ　2.ウ　3.ア　4.イ　5.ウ

問21　下記は、お客様と販売スタッフの電話での会話文です。□□□□の中にあては
　　　まる言葉を、それぞれの（ア・イ）から選び、解答番号の記号をマークしな
　　　さい。

販売スタッフ：「　1　（ア．夜分　イ．夜半）に失礼いたします。山田様のお宅でしょ
　　　　　　　うか？」

お　客　様　：「はい。」

販売スタッフ：「私、○○ショップ渋谷店の佐藤と申します。　2　（ア．恐れ入ります
　　　　　　　が　イ．恐縮ですが）愛子様は　3　（ア．おります　イ．いらっしゃい
　　　　　　　ます）でしょうか？」

お　客　様　：「愛子は外出していまして、あと1時間くらいで戻る予定です。」

販売スタッフ：「　4　（ア．左様でございますか　イ．そうでしたか）。それでは後ほど
　　　　　　　こちらからお電話　5　（ア．させてもらいます　イ．いたします）。

〈以下省略〉

解答：1.ア　2.ア　3.イ　4.イ　5.イ

問22　下記 a～e は、販売スタッフの動作に関する文章です。正しいものには解答
　　　番号の記号アを、誤っているものには記号イをマークしなさい。

a．店内が混雑してやむを得ずお客様の前を通らなければならない時、販売スタッフは背を
　　向けて、足早に通り過ぎるようにする。　　　　　　　　　　　　　　　　□ 1 □

b．商品をお渡しするときや会計での金銭授受など、販売スタッフは両手を使うようにする。
　　やむを得ず片手を使う場合は「片手で失礼いたします」と一言添える。　　　□ 2 □

c．お客様に商品の提案をするとき、ボタンやレースなどディテールにこだわった部分は、
　　人差し指で指し示しながら説明すると分かりやすい。　　　　　　　　　　　□ 3 □

d．棚の最下段に並ぶ商品をお客様にお見せするときは、背筋を伸ばして膝を沈め、商品を
　　取り上げたらお客様の目線に合う高さで広げるようにする。　　　　　　　　□ 4 □

e．販売スタッフが試着室までご案内するときは、試着商品を片手に持ち、もう一方の手で
　　試着室の方向を示して、お客様の真正面に立って歩調を合わせて歩くようにする。
　　　　　　　　　　　　　　　　　　　　　　　　　　　　　　　　　　　　□ 5 □

解答：1.イ　2.ア　3.イ　4.ア　5.イ

問23　下記は、一般的な言葉づかいと接客で使う言葉づかいを比較したものです。
　　　　　□□□□□の中にあてはまる言葉を、語群（ア～ク）から選び、解答番号の記号
　　　　　をマークしなさい。

一般的な言葉づかい	接客で使う言葉づかい
どうですか	1
同伴者	2
知りません	3
あさって	4
自店	5

ア	お連れ様	イ	御店	ウ	みょうごにち	エ	御一行様
オ	分かりかねます	カ	一両日	キ	いかがでしょうか	ク	当店

解答：1.キ　2.ア　3.オ　4.ウ　5.ク

問24　下記a～eは、電話応対に関する文章です。□□□の中にあてはまる言葉を、それぞれの（ア・イ）から選び、解答番号の記号をマークしなさい。

a．電話に出た販売スタッフの第一声で　1　のイメージが決定する。

　ア．商品

　イ．店舗

b．電話が鳴ったらコールベルは　2　回以内に受話器を取るようにして、電話中も20秒以上お待たせしないようにする。

　ア．3

　イ．5

c．目の前に　3　がいるつもりで、明るい声でさわやかに応対する。

　ア．上司

　イ．お客様

d．電話は事実を正確に把握して、相手に分かりやすく伝えることが大切である。そのためには、　4　名詞・数字・日時などを間違えないようにする。

　ア．固有

　イ．普通

e．携帯電話への電話の場合は、　5　ができる状況かどうかを、まず始めに相手に確認する。

　ア．移動

　イ．会話

解答：1.イ　2.ア　3.イ　4.ア　5.イ

問25　下記は、お客様と販売スタッフの会話文です。　　　　　の中にあてはまる言葉
　　　を、語群（ア〜ク）から選び、解答番号の記号をマークしなさい。

お　客　様　：「すみません。この黒のブラウスの色違いはありますか？」

販売スタッフ：「申し訳ございません。　1　お色違いの白と茶は、ただいま切らしてお

　　　　　　　りまして　2　お取り寄せいたしましょうか？」

お　客　様　：「お取り寄せできるなら茶色をお願いします」

販売スタッフ：「　3　。それでは恐れ入りますが、こちらの伝票に　4　・ご住所・

　　　　　　　お電話番号のご記入をお願いします」

〈お客様に連絡先をご記入いただいたら伝票を受け取る〉

販売スタッフ：「ありがとうございます。ご注文のブラウスがお店に届き次第、ご連絡差し

　　　　　　　上げます。ご来店の際は　5　こちらのお控え伝票をお持ちになって下

　　　　　　　さい」

〈以下省略〉

ア	お手数ですが	イ	お名前様	ウ	よろしければ	エ	かしこまりました
オ	あいにく	カ	了解しました	キ	お名前	ク	不都合でなければ

解答：1.オ　2.ウ　3.エ　4.キ　5.ア

問26　下記a～eは、購買心理プロセスに関する文章です。それぞれに該当するものを（ア～ク）から選び、解答番号の記号をマークしなさい。

a．鏡の前で商品を合わせて「この色、私に似合うかしら？」などと、販売スタッフに話しかけたりする。

$\boxed{1}$

b．「あっ、きれいな色！」「シルエットが素敵」「デザインが新鮮」などと、ウインドーディスプレイや商品に目を留める。

$\boxed{2}$

c．「他にもっと似合うものはあるかな」「このデザイン、価格なら別のお店の方がいいかな」と迷いが出る。

$\boxed{3}$

d．「持っているあの服に似合うかな」「このデザインは持っていたかしら」と、ワードローブを思い出し、コーディネートを考える。

$\boxed{4}$

e．「本当に似合うかしら」と販売スタッフに同意を求めたり、試着をしたいと要望する。

$\boxed{5}$

ア	比較検討	イ	連想	ウ	行動	エ	注意／注目
オ	満足	カ	欲望	キ	確信	ク	興味

解答：1.カ　2.エ　3.ア　4.イ　5.キ

問27　下記a～eは、お客様の買い物の仕方に関する文章です。販売スタッフの対応としてふさわしいものには解答番号の記号アを、ふさわしくないものには記号イをマークしなさい。

a．来店頻度の高いお客様は、販売スタッフに笑顔で話しかけたり名前を呼んで感じがよいことが、その都度お買い上げにつながるとは限らないので、適度に話を合わせておくだけにした。　　　　　　　　　　　　　　　　　　　　　　　　　　　　　　 1

b．「買い慣れている商品は自分で選んで買いたい」というお客様の中には、販売スタッフの挨拶に反応せず目を向けない場合がある。そこで販売スタッフはさりげなく目を向けて、お客様のサインの変化に気づくようにした。　　　　　　　　　　　　　　　 2

c．商品の決定は自分で判断したいが、色やデザイン違いの確認でスタッフの手を借りたいお客様もいる。この場合販売スタッフは質問に対して答えた後、無理に会話を続けないようにした。　　　　　　　　　　　　　　　　　　　　　　　　　　　　　　 3

d．ウインドーディスプレイの商品をじっと見ていて、販売スタッフの挨拶に反応しないお客様には、すぐに近づいて商品の説明を始めた。　　　　　　　　　　　　　　 4

e．長い間商品を見比べて販売スタッフに声をかけてくるお客様は、適切なアドバイスを得たいと相談に乗ってもらいたいと考えていることもある。そこで販売スタッフは専門知識に基づいた丁寧な説明とお薦めを行った。　　　　　　　　　　　　　　　　 5

解答：1.イ　2.ア　3.ア　4.イ　5.ア

問28 下記a～eは、言葉づかいに関する問題です。それぞれの設問に該当する回答を、それぞれの（ア～ウ）から選び、解答番号の記号をマークしなさい。

a．特徴のない商品をお薦めするときの遠回しな言い方。 [1]

　ア．つきなみ

　イ．シンプル

　ウ．ありきたり

b．お客様のお荷物を婉曲に言うときの表現の仕方。 [2]

　ア．お手元品

　イ．お見回り品

　ウ．お手回り品

c．お客様に値段が安いことを婉曲に言うときの表現の仕方。 [3]

　ア．お手頃

　イ．お安い

　ウ．お値段が低い

d．体格のよい若い女性のお客様を表す遠回しな言い方。 [4]

　ア．貫禄がある

　イ．恰幅がよい

　ウ．健康的

e．お客様に贈答品を購入する目的を聞くときの表現の仕方。 [5]

　ア．ご利用向き

　イ．ご用向き

　ウ．ご使用向き

解答：1.イ　2.ウ　3.ア　4.ウ　5.イ

問29　下記a〜dは、ニーズの把握に関する文章です。 ［　　　］の中にあてはまる言葉を、語群（ア〜ク）から選び、解答番号の記号をマークしなさい。

a．ニーズ把握の基本的な項目としては、購入目的・着用時期・アイテム・［　1　］・素材・色・価格・好みなどが挙げられる。

b．お客様に商品をお薦めするためにニーズ把握ができないと、お客様の［　2　］と違ったり、販売スタッフの好みを押し付けることになる。

c．お客様の持ち物や装いに［　3　］すると、好みを察することができる。

d．ニーズを聞き出すときは、一方的な［　4　］ばかりを続けずに、うなずきや［　5　］をうって応答し、お客様が話しやすくするとよい。

| ア | 要望 | イ | 看過 | ウ | 相づち | エ | 要求 |
| オ | 質問 | カ | 共感 | キ | デザイン | ク | 注目 |

解答：1.キ　2.ア　3.ク　4.オ　5.ウ

問30 下記a〜eは、クロージングに関する文章です。正しいものには解答番号の
記号アを、誤っているものには記号イをマークしなさい。

a．試着後、購入に悩むお客様には、もう一度試着をお薦めして、お似合いのポイントを伝
えてみる。 ☐ 1

b．お客様が3〜4点の商品を前にして購入決定に迷うときは、販売スタッフがそれぞれの
セールスポイントを伝えて、決定するまで遠くから見守るようにする。 ☐ 2

c．お客様が試着をしたスカートはサイズが少し窮屈そうだったが、「いいみたい。どうか
しら？」と気に入っていた様子だったので、「とてもお似合いです」と返答した。
☐ 3

d．プレゼントをお探しのお客様には、「こちらのニットをお召しになったときのお母さま
の喜ぶ様子が目に浮かびますね」と、喜びの情景や着用場面の効果などを伝える。
☐ 4

e．お客様から2点の商品を前に「どちらがいいと思いますか？」と聞かれたとき、販売ス
タッフはお似合いのポイントやニーズとの一致などを客観的に説明し、「こちらの方が
お勧めです」と伝える。 ☐ 5

解答：1.ア 2.イ 3.イ 4.ア 5.ア

— 111 —

問31 下記a～dは、お見送りに関する文章です。□□□の中にあてはまる言葉を、
　　　語群（ア～ク）から選び、解答番号の記号をマークしなさい。

a. お見送りはご来店とお買い上げの　1　の気持ちをこめて、「ありがとうございます」
　　の言葉と丁寧な　2　で行う。

b. お見送りは、店内やレジの混雑度合い、　3　の有無やお客様の荷物の大きさなどの
　　状況によって、適切な位置で行う。

c. お見送りをするときには、「またどうぞお越しくださいませ」などの　4　の言葉を
　　添えるようにする。

d. 他の　5　の目にも触れることを意識して、丁寧で感じのよいお見送りをする。

ア	感謝	イ	お買い上げ	ウ	祝福	エ	再来店
オ	お辞儀	カ	在庫	キ	お客様	ク	笑顔

問32　下記 a 〜 e は、包装とギフトラッピングに関する文章です。正しいものには
　　　解答番号の記号アを、誤っているものには記号イをマークしなさい。

a．包装はブランドや店舗のコンセプトにより様々だが、ご購入いただいた商品（品物）を
　　持ち運ぶためであるという目的は共通である。　　　　　　　　　　　　　　　1

b．包装をするときの注意ポイントは、丁寧に、きれいに、スピーディーに、である。
　　　　　　　　　　　　　　　　　　　　　　　　　　　　　　　　　　　　　　2

c．ギフトラッピングをする前は、商品に傷みや汚れがないかをよく確認し、値札はお客様
　　が要望した時のみ外す。　　　　　　　　　　　　　　　　　　　　　　　　　3

d．お客様の要望でギフトラッピングをするときは、お客様に少しお待ちいただいて、じっ
　　くりと丁寧に美しく仕上げることが大切である。　　　　　　　　　　　　　　4

e．ブラウスをギフトラッピングするときは、厚みのない箱に入れて合わせ包みで包み、リ
　　ボンは斜め掛けにすると見栄えがよく丈夫である。　　　　　　　　　　　　　5

解答：1.ア　2.ア　3.イ　4.イ　5.イ

問33　下記は、お客様と販売スタッフの会話文です。□□□□の中にあてはまる言葉を、それぞれの（ア・イ）から選び、解答番号の記号をマークしなさい。

〈誕生日プレゼントをお探しのお客様〉

販売スタッフ：「いらっしゃいませ。何かお探しでしょうか？」

お 客 様　：「ええ、祖母が60歳になるので　1　（ア．還暦　イ．古希）祝いのプレゼントを探していて…」

販売スタッフ：「おめでとうございます。それでしたら色は　2　（ア．紫　イ．赤）がいいですね。こちらのカーディガンやひざ掛けはいかがでしょうか？」

お 客 様　：「そうですね。カーディガンは去年のプレゼントで贈ったので、今回はひざ掛けにします。お祝い用に包装をお願いします」

販売スタッフ：「ありがとうございます。それでは箱に入れて熨斗の付いて　3　（ア．いる　イ．いない）掛け紙を掛けますね。水引は　4　（ア．金銀　イ．金赤）で　5　（ア．結び切り　イ．蝶結び）で結びます」

〈以下省略〉

解答：1.ア　2.イ　3.ア　4.ア　5.イ

B科目

売り場づくり

問1　下記a～eは、マネキンおよびボディに関する文章です。正しいと思われるも
　　　のには、解答番号の記号アを、誤っていると思われるものには、記号イをマー
　　　クしなさい。

a．マネキンには、必ず頭部と腕と脚がある。　　　　　　　　　　| 1 |

b．ボディは、フレキシブルマネキンとも呼ばれる。　　　　　　| 2 |

c．アブストラクトマネキンは、人間に近いリアルなマネキンである。　| 3 |

d．ヘッドレスマネキンは、ヘアの取り外しが可能なマネキンをいう。　| 4 |

e．スカルプチャーマネキンは、銅像塗装を施したマネキンをいう。　| 5 |

解答：1.イ　2.イ　3.イ　4.イ　5.イ

問2　下記a～eは、進物および贈答品のマナーに関する文章です。正しいと思われるものには、解答番号の記号アを、誤っていると思われるものには、記号イをマークしなさい。

a．水引の色には、黒白もある。　　　　　　　　　　　　　　　　 1

b．熨斗紙には、「慶事」という表書きが印刷されている。　　　　 2

c．弔事には、結び切りを使用する。　　　　　　　　　　　　　　 3

d．婚礼祝いの水引は、蝶結びを用いるのがマナーである。　　　　 4

e．あわび結びは、弔事にも使用することができる。　　　　　　　 5

解答：1.ア　2.イ　3.ア　4.イ　5.ア

問3　下記a〜eは、基本的な陳列方法をイラストと文章であらわしたものです。基本的な陳列方法として、正しいと思われるものには、解答番号の記号アを、誤っていると思われるものには、記号イをマークしなさい。

	基本的な陳列方法		
a.		横方向はデザイン別に並べ、上下段は上から下へS、M、Lとサイズごとに分けて陳列する。	1
b.		在庫の少ない商品は前面に、在庫の多い商品は後ろに掛ける。	2
c.		前から後ろに向かって、暗い色から徐々に明るい色になるように掛けていく。	3
d.		ショルダーアウトでハンギングする商品量の目安は、ハンガーラックの片側に商品を寄せた際に、4分の1の空間ができれば適正である。	4
e.		前身頃やデザインなど、商品の正面を見せて掛ける陳列方法をフェイスアウトという。	5

解答：1.ア　2.ア　3.イ　4.イ　5.ア

問4　下記a～dは、商品分類に関する文章です。□**の中にあてはまる言葉を、語群（ア～ク）から選び、解答番号の記号をマークしなさい。**

a．ファッション販売において、スーツやコートは│　1　│と呼ばれる。

b．ひと口にブレザーといっても、ポケットの形状やベンツの種類といった│　2　│は様々である。

c．フォーマルウェアやビジネスウェアは、着用する│　3　│による分類である。

d．ターゲット設定においては、お客様の青年期、壮年期といった│　4　│、アウトドア派、インドア派などの│　5　│志向を考慮する必要がある。

ア	オケージョン	イ	ライフステージ	ウ	ディテール	エ	セットアップ
オ	グレード	カ	重衣料	キ	ライフスタイル	ク	カラー

解答：1.カ　2.ウ　3.ア　4.イ　5.キ

問5　下記a～eは、売場での演出と陳列に関する文章です。正しいと思われるものには、解答番号の記号アを、誤っていると思われるものには、記号イをマークしなさい。

a．ＶＰとは、店頭のショーウインドーやメインステージで展開する「見せ場」である。

1

b．マネキンやトルソーに服を着せつけることを、フォーミングという。

2

c．服や袋物、バッグなどに紙などで詰め物をし、立体的に演出することをパディングという。

3

d．フライングとは、テグスやピンを使用して服飾品や演出小物を浮かせる技法である。

4

e．手が届きやすく、商品を選んだり取り出したりしやすい高さを、ゴールデンスペースという。

5

解答：1.ア　2.イ　3.ア　4.ア　5.ア

問6　下記a・bは、ＶＭＤに関する文章です。　　　　　　の中にあてはまる言葉を、
　　　語群（ア～ク）から選び、解答番号の記号をマークしなさい。

a．棚やテーブルにたたんで積み置く陳列方法を　　1　　という。商品を積む高さは一般
　　に、棚間の高さのおよそ　　2　　までが好ましい。この方法は売場にボリューム感を出
　　せるが、服のデザインが分かりにくいため、コーディネートスタンドを活用した
　　　3　　でデザインを見せるようにするとよい。

b．　4　　は、洋服をハンガーラックに並べるとき、袖側がよく見えるように掛ける陳列
　　方法である。この方法でハンギングする場合には、商品を一度すべてハンガーラックの
　　片側に寄せ、　5　　程度の空きがあるようにするとよい。

ア	ＰＰ	イ	ショルダーアウト	ウ	1/4	エ	フェイスアウト
オ	1/3	カ	2/3	キ	フォールデッド	ク	ＩＰ

解答：1.キ　2.カ　3.ア　4.イ　5.オ

問7　下記a～eは、商品陳列や演出に使用する器具の写真です。それぞれにふさわ
しい名称を、語群（ア～ク）から選び、解答番号の記号をマークしなさい。

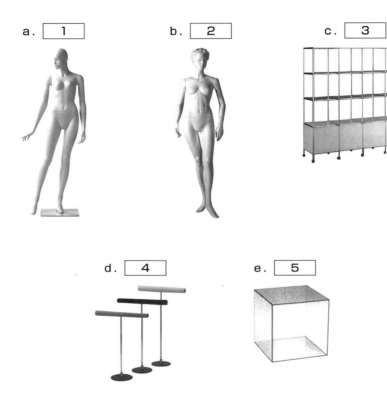

a. ▢ 1

b. ▢ 2

c. ▢ 3

d. ▢ 4

e. ▢ 5

ア	ライザー	イ	リアルマネキン	ウ	アブストラクトマネキン
エ	両面棚	オ	スカルプチャーマネキン	カ	ユニット什器
キ	ツーウェイハンガーラック	ク	T字スタンド		

解答：1.ウ　2.オ　3.カ　4.ク　5.ア

問8　下記は、ＶＭＤに関する文章です。 _____ の中にあてはまる言葉を、語群
　　（ア～ク）から選び、解答番号の記号をマークしなさい。（解答番号2は、同一
　　の言葉を2回使用）

　売り場ではお客様が見やすい高さを考慮した商品陳列や什器配置が大切である。

　床から約60～ [1] ㎝までの高さで、商品を選んだり取り出したりしやすい場所を
[2] といい、[3] で展開して売り上げにつなげるようにする。

　また [2] よりも上に位置する範囲は [4] と呼ばれ、[5] を活用するなどし
て情報の告知を行い、お客様にとって快適な売り場作りを心がける。

ア	サインスペース	イ	130	ウ	ゴールデンスペース	エ	ＶＰ
オ	ＩＰ	カ	ストックスペース	キ	ＰＯＰ	ク	150

解答：1.ク　2.ウ　3.オ　4.ア　5.キ

問9　下記a〜eは、照明と配色に関する用語です。それぞれに該当するものを、それぞれの（ア・イ）から選び、解答番号の記号をマークしなさい。

a．照度　　　　　　　　　　　　　　　　　　　　　　　　　　　　　　1

　　ア．単位はルクス（Lx）で表される。

　　イ．単位はニト（nt）またはカンデラ毎平方メートル（cd/㎡）で表される。

b．色温度　　　　　　　　　　　　　　　　　　　　　　　　　　　　　2

　　ア．光源の光色を表す。

　　イ．自然光で見たときと同等に見えるかどうかの度合い。

c．LED　　　　　　　　　　　　　　　　　　　　　　　　　　　　　3

　　ア．発光ダイオードからなる光源

　　イ．ハロゲン電球

d．セパレーション配色　　　　　　　　　　　　　　　　　　　　　　　4

　　ア．同系色を用いて調和をとると良い。

　　イ．無彩色を用いて調和をとると良い。

e．視認性　　　　　　　　　　　　　　　　　　　　　　　　　　　　　5

　　ア．明度差よりも色相差が大きい方が高い。

　　イ．色相差よりも明度差が大きい方が高い。

解答：1.ア　2.ア　3.ア　4.イ　5.イ

問10　下記は、マネキンの着せ付け方の写真と説明文です。マネキンの着せ付け方
　　　として、正しいと思われる順序になるように、（ア～オ）を選び、解答番号の
　　　記号をマークしなさい。

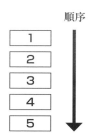

順序
1
2
3
4
5

ア	イ	ウ
腕を入れる	パンツを穿かせる	全体を整える

エ	オ
ベースに立たせる	トップスを着せる

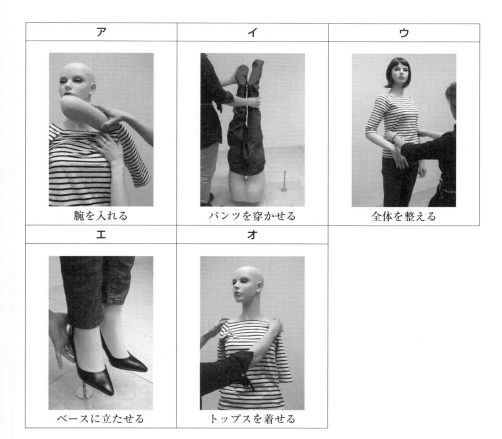

解答：1.イ　2.エ　3.オ　4.ア　5.ウ

問11　下記a〜eは、VMDに関する文章です。設問に対してより適切であると思われるものを、それぞれの（ア・イ）から選び、解答番号の記号をマークしなさい。

a．VMDとは1970年代後半に　1　（ア．イギリス　イ．アメリカ）の百貨店業界が売り上げ低迷から脱するために導入し、後に日本でも注目された。

b．VMDとは売り場を「見せ場」・「提案の場」・　2　（ア．「お買い場」　イ．「売る場」）という3つの役割に分けて展開方法を決め、合理的に売り上げアップを狙う店の経営戦略である。

c．売り場内の　3　（ア．コーナーステージ　イ．Gケース）は視認性が高く、販促効果を期待できる。

d．ボディには　4　（ア．頭、手のついたものもある　イ．頭、手のついたものはない）。

e．近年、マネキンの素材には　5　（ア．ペット樹脂　イ．FRP）やセラミック製などリサイクルが可能な次世代の素材が注目されている。

解答：1.イ　2.イ　3.ア　4.ア　5.ア

問12　下記 a 〜 e は、照明と配色に関する問題です。正しいと思われるものには解答番号の記号アを、誤っていると思われるものには記号イをマークしなさい。

a.「輝度」とは、ある方向から見て、単位面積当たりにどれだけの光量が照射しているかの度合いである。　　　　　　　　　　　　　　　　　　　　　　| 1 |

b.「色温度」とは、光源の光色をさし単位はルクス（Ｌx）で表される。　| 2 |

c.「ハロゲン電球」は、光の広がりをコントロールしやすく、店舗ではスポット照明などに使われる。　　　　　　　　　　　　　　　　　　　　　　　　　| 3 |

d.「クロスコーディネート」とは、2体のトップスとボトムスの色を交差するように組み合わせ、着回しのバリエーションを見せる。　　　　　　　　　　　| 4 |

e. 遠くからでもはっきり分かりやすい配色は、「視認性が高い配色」ともいわれ、同系色以外で明度差が大きい配色の方が高い。　　　　　　　　　　| 5 |

解答：1.ア　2.イ　3.ア　4.ア　5.イ

問13　下記a〜eは、VMDに関する文章です。□□□により適切であると思われるものを、それぞれの（ア・イ）から選び、解答番号の記号をマークしなさい。

a. 　1　（ア．ジャケット　イ．Yシャツ）は、ハンギング・フォールデッドなど商品の特性に応じて陳列すると良い。

b. ジーンズなどはサイズ別、シルエット別に　2　（ア．シェルフ　イ．ライザー）などでフォールデッド陳列を行う。

c. シューズは正面のデザインを必ず見せるようにして、　3　（ア．価格別　イ．サイズ別）に棚を分けて展開する。

d. ハンカチやポケットチーフをギフトとして包む場合の折り方は、　4　（ア．TVホールド　イ．スリーピークス）が基本である。

e. 結び目の大きくなるネクタイの結び方を伝える場合は　5　（ア．ウィンザーノット　イ．セミウィンザーノット）を提案すると良い。

解答：1.イ　2.ア　3.イ　4.イ　5.ア

問14 下記a・bは、マネキンに関する文章です。 ☐ の中にあてはまる言葉を、語群（ア〜ク）から選び、解答番号の記号をマークしなさい。（解答番号5は同一の言葉を2回使用）

a．マネキンを使用する際は上半身と下半身を ☐1 に運び、着せつける前に必ずきれいに拭き、タイプやサイズを確認する。服を着せつける順序は ☐2 からが好ましく、腕をはめ込む時にはトップスの ☐3 が小さい場合には身頃の下のほうから腕を入れる。

b．ベースと支柱のスタンドの種類によっては ☐4 タイプや ☐5 タイプなどがあり、商品の靴を履かせたい場合には ☐5 タイプを用いるようにする。

ア	トップス	イ	レッグスタンド	ウ	一緒	エ	襟ぐり
オ	別々	カ	ボトムス	キ	袖口	ク	フットベース

解答：1.オ 2.カ 3.エ 4.ク 5.イ

問15　下記a〜eは、マネキンおよびボディに関する問題です。それぞれにふさわしい名称を、語群（ア〜ク）から選び、解答番号の記号をマークしなさい。

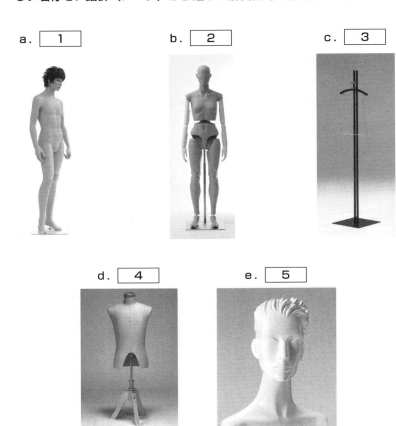

a. [1]　　　b. [2]　　　c. [3]

d. [4]　　　e. [5]

ア	スカルプチャー	イ	ヘッドレス	ウ	フレキシブル	エ	ワイヤートルソー
オ	紳士スーツ用ボディ	カ	コーディネート ハンガースタンド	キ	アブストラクト	ク	リアル

解答：1.ク　2.ウ　3.カ　4.オ　5.ア

B科目

商品知識

問1　下記a〜eは、ファッションスタイルに関する説明文です。それぞれにあてはまるものを、それぞれの(ア・イ)から選び、解答番号の記号をマークしなさい。

a．1920年代に流行した、直線的なシルエットのボーイッシュなスタイル。　　　1

　　ア．ギャルソンヌルック

　　イ．アイビールック

b．締めつけるような身体にぴったりした、黒革のトップスやミニスカート、パンツにブーツなどのハードで官能的なファッション。　　　2

　　ア．ニュールック

　　イ．ボンデージファッション

c．1960年代にロンドンのカーナビーストリートから流行したスタイル。　　　3

　　ア．ロカビリーファッション

　　イ．モッズルック

d．古着などを取り入れ、よれよれで色落ちした服の重ね着などが特徴のスタイル。　　　4

　　ア．グランジファッション

　　イ．ニュールック

e．「フィフティーズ」としても知られている、リーゼントヘアやポニーテールに、革ジャンパー、サーキュラースカートなどのアイテムを典型としたファッション。　　　5

　　ア．アメリカントラディショナル

　　イ．ロックンロールファッション

解答：1.ア　2.イ　3.イ　4.ア　5.イ

問2　下記a〜eは、スーツのイラストです。それぞれにあてはまる名称を、語群（ア〜ク）から選び、解答番号の記号をマークしなさい。

a. 1　　　　b. 2　　　　c. 3

d. 4　　　　e. 5

ア	パンタロンスーツ	イ	スワガースーツ	ウ	シャネル風スーツ
エ	インバネススーツ	オ	サファリスーツ	カ	カーディガンスーツ
キ	ボレロスーツ	ク	ペプラムスーツ		

解答：1.ア　2.ク　3.カ　4.ウ　5.キ

問3　下記a〜dは、紳士服に関する文章です。　　　　　　の中にあてはまる言葉を、それぞれの（ア・イ）から選び、解答番号の記号をマークしなさい。

a．背広が一般男子の日常着になったのは、1870年代に、アメリカ人がそれまでの男子服であった裾の長い　　1　　（ア．フロックコート　イ．タキシード）やテールコートの尻尾を切って、身軽なサックコート（短いジャケット）を作ったのが始まりで、欧州にわたり発展したといわれている。

b．ブラックスーツは、　　2　　（ア．モーニングコート　イ．ビジネススーツ）と兼用することができる男子服の礼装用スーツである。

c．衣服の胸の部分が二重になっている、両前合わせのスーツを　　3　　（ア．ダブルブレステッド　イ．ノッチドラペル）スーツという。シングルよりも　　4　　（ア．カジュアルな　イ．改まった）感じを表現し、ボタンを掛けて着用するのが通例である。

d．礼装用スーツのズボンの裾の折返しは、　　5　　（ア．つける　イ．つけない）のが正式とされている。

解答：1．ア　2．イ　3．ア　4．イ　5．イ

問4　下記a～eは、獣毛繊維・毛皮・皮革の名称です。　　　　　の中にあてはまる
　　　動物名を、語群（ア～ク）から選び、解答番号の記号をマークしなさい。

$$a. \; オーストリッチ \quad = \boxed{1}$$
$$b. \; キャメル \quad\quad\; = \boxed{2}$$
$$c. \; カーフスキン \quad\; = \boxed{3}$$
$$d. \; シルバーフォックス = \boxed{4}$$
$$e. \; パイソン \quad\quad\;\; = \boxed{5}$$

ア	ウシ	イ	ダチョウ	ウ	ヤギ	エ	ヘビ
オ	ウマ	カ	キツネ	キ	タヌキ	ク	ラクダ

解答：1.イ　2.ク　3.ア　4.カ　5.エ

問5　下記a〜eは、品質管理に関する文章です。正しいものには解答番号の記号ア
　　を、誤っているものには記号イをマークしなさい。

a．取扱い絵表示は、ＪＩＳ規格がその表示方法を規定している。　　　　　　☐1

b．繊維製品の品質表示には、組成表示、サイズ表示、原産国表示などがあり、これらは販
　　売スタッフにとって欠くことのできない知識である。　　　　　　　　　　☐2

c．「家庭用品品質表示法」は、消費者が商品を購入する際に、適切な情報提供を受けるこ
　　とができるように制定された。　　　　　　　　　　　　　　　　　　　　☐3

d．原産国表示の原産国とは、製品の原料を作った国のことをいう。　　　　　☐4

e．組成表示とは、使用されている繊維は何か、どの素材を何％ずつ使用しているのかなど
　　を「指定用語」を用いて、それぞれの繊維の混用率を百分率で表したものをいう。
　　　　　　　　　　　　　　　　　　　　　　　　　　　　　　　　　　　☐5

解答：1.ア　2.ア　3.ア　4.イ　5.ア

問6　下記a〜eは、JIS規格における成人用衣料のサイズ表示に関する文章です。正しいものには解答番号の記号アを、誤っているものには記号イをマークしなさい。

a．JISとは、日本工業規格のことである。　　　　　　　　　　| 1 |

b．成人女子用衣料の基本身体寸法は、バスト、ウエスト、ヒップ及び身長である。| 2 |

c．成人女子用衣料の体型は、4つに区分されている。　　　　| 3 |

d．成人男子用衣料の基本身体寸法は、チェスト、ウエスト及びヒップである。| 4 |

e．成人男子用衣料の体型は、6つに区分されている。　　　　| 5 |

解答：1.ア　2.ア　3.ア　4.イ　5.イ

問7 下記a〜eが、日本のファッション販売における類義語の組み合わせになるように、◻︎の中にあてはまる言葉を、語群（ア〜ク）から選び、解答番号の記号をマークしなさい。

a．スタイリング ＝ ⬚1
b．フォルム ＝ ⬚2
c．アパレル ＝ ⬚3
d．ファブリック ＝ ⬚4
e．ワンピース ＝ ⬚5

ア	ウェア	イ	テキスタイル	ウ	ダブルジャージー	エ	ウェアリング
オ	アイテム	カ	シルエット	キ	ドレス	ク	モール

解答：1.エ 2.カ 3.ア 4.イ 5.キ

問8　下記a〜eは、シャツの基本に関する文章です。 [　　　]の中にあてはまる言葉を、語群（ア〜ク）から選び、解答番号の記号をマークしなさい。

a．オックスフォードの [1] シャツは、トラッドの代表的なシャツである。

b． [2] フロントのシャツは、表からはボタンが見えない。

c． [3] カフスは、カフスボタンでとめる。

d． [4] カラーの衿開きの角度は、180度である。

e． [5] シャツは、カウボーイシャツとも呼ばれる。

ア	ダブル	イ	タブ	ウ	ウエスタン	エ	フライ
オ	ボタンダウン	カ	シングル	キ	ホリゾンタル	ク	タイカラー

解答：1.オ　2.エ　3.ア　4.キ　5.ウ

問9　下記a～eは、スカートおよびパンツに関する文章です。正しいと思われるものには、解答番号の記号アを、誤っていると思われるものには、記号イをマークしなさい。

a．「エスカルゴスカート」は、カタツムリのように螺旋状に接ぎ合せたデザインのスカートをいう。 [1]

b．「キュロットスカート」は、ゆったりとした裾広がりの7分丈のパンツ式ボトムで、南米のカウボーイの着装に由来している。 [2]

c．スコットランド独自の男子の正装から由来した「キルト」は、巻きつけ式スカートである。 [3]

d．英国での「トラウザーズ」、フランスでの「パンタロン」は、いずれも主にベーシックなズボンをさす。 [4]

e．スポーツの練習などに用いる、動きやすいパンツをさす「トレーニングパンツ」という呼称は、日本で生まれた。 [5]

解答：1.ア　2.イ　3.ア　4.ア　5.ア

問10　下記a～eは、ベビーおよびトドラー用アイテムのイラストです。それぞれ
　　　にあてはまる名称を、語群（ア～ク）から選び、解答番号の記号をマークし
　　　なさい。

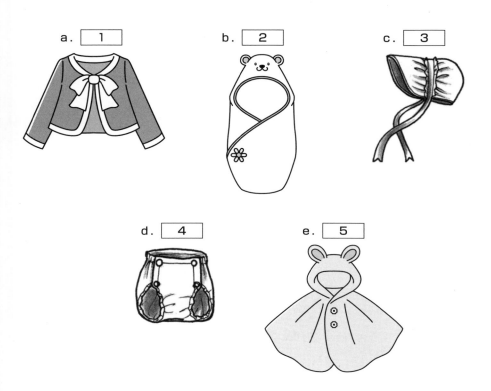

a. | 1 |
b. | 2 |
c. | 3 |
d. | 4 |
e. | 5 |

ア	スモック	イ	おむつカバー	ウ	ケープ	エ	ボンネット
オ	オーバーオールズ	カ	おくるみ	キ	ボレロ	ク	スヌード

解答：1.キ　2.カ　3.エ　4.イ　5.ウ

問11　下記a～eは、化学繊維に関する問題です。設問に対する解答を、それぞれ
　　　の（ア～ウ）から選び、解答番号の記号をマークしなさい。

a．次の中から、半合成繊維ではないものを選びなさい。　　　　　　　　1

　　ア．トリアセテート

　　イ．ポリウレタン

　　ウ．アセテート

b．次の中から、合成繊維ではないものを選びなさい。　　　　　　　　　2

　　ア．ナイロン

　　イ．プロミックス

　　ウ．アクリル

c．次の中から、再生繊維ではないものを選びなさい。　　　　　　　　　3

　　ア．キュプラ

　　イ．レーヨン

　　ウ．ビニロン

d．次の中から、ポリエステルの特徴として誤っているものを選びなさい。　4

　　ア．しわになりにくい

　　イ．熱や摩擦に弱い

　　ウ．静電気を帯びやすい

e．次の中から、レーヨンの特徴として誤っているものを選びなさい。　　5

　　ア．染めやすい

　　イ．吸湿性がない

　　ウ．摩擦や水に弱い

解答：1.イ　2.イ　3.ウ　4.イ　5.イ

問12　下記a〜eは、芯地に関する文章です。正しいと思われるものには、解答番号の記号アを、誤っていると思われるものには、記号イをマークしなさい。

a．芯地の機能には、形を整える成型性や、型崩れを防ぐ保型性などがある。　　　　　1

b．芯地はすべて、裏面に接着剤が塗布された接着芯地である。　　　　　2

c．婦人服には柔らかい芯地、紳士服には固い芯地を必ず用いる。　　　　　3

d．メンズスーツの身頃には、シルエットを形づくるために、複数の種類の芯地を組み合わせて使用することが多い。　　　　　4

e．シャツの場合、一般的に衿やポケット口、カフス、前立てなどに芯地が用いられる。　　　　　5

解答：1.ア　2.イ　3.イ　4.ア　5.ア

問13 下記a～eは、繊維製品の取扱い絵表示記号です。それぞれにあてはまる説
明文を、文章群（ア～ク）から選び、解答番号の記号をマークしなさい。

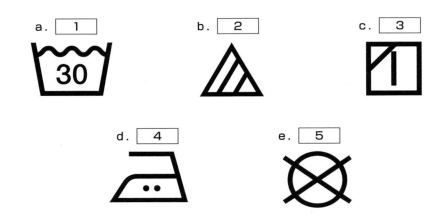

a. 1
b. 2
c. 3
d. 4
e. 5

ア	脱水後、日陰でのつり干しがよい。
イ	液温は30℃を限度とし、手洗いができる。
ウ	酵素系漂白剤の使用はできるが、塩素系漂白剤は使用禁止。
エ	底面温度110℃を限度として、スチームなしでアイロン仕上げができる。
オ	ドライクリーニング禁止。
カ	液温は30℃を限度とし、洗濯機で洗濯ができる。
キ	ウエットクリーニング禁止。
ク	底面温度150℃を限度としてアイロン仕上げができる。

解答：1.カ　2.ウ　3.ア　4.ク　5.オ

問14　下記a～eが、日本のファッション販売における類義語の組み合わせになるように、□□□の中にあてはまる言葉を、語群（ア～ク）から選び、解答番号の記号をマークしなさい。

a．ソフトジャケット　＝　| 1 |ジャケット
b．ヒップボーンパンツ＝　| 2 |パンツ
c．フォーマルシャツ　＝　| 3 |シャツ
d．スパッツ　　　　　＝　| 4 |
e．アンサンブル　　　＝　| 5 |ニット

ア	ドレス	イ	カルソン	ウ	ベスト	エ	アンコン
オ	チュニック	カ	ローライズ	キ	ツイン	ク	ヒップアップ

解答：1.エ　2.カ　3.ア　4.イ　5.キ

問15　下記a・bは、ファッションスタイルに関する文章です。　　　　の中にあて
　　　はまるものを、それぞれの（ア・イ）から選び、解答番号の記号をマークし
　　　なさい。

a．パイレーツルックとは、文字通り　 1 　（ア．船員　イ．海賊）風のファッションの
　　ことで、太い　 2 　（ア．ホリゾンタル　イ．ダイアゴナル）ストライプのTシャツ、
　　あるいはゆったりした　 3 　（ア．エルボーパッチ　イ．フリル）つきシャツにパイ
　　レーツパンツとの組み合わせが代表的なスタイルである。

b．アイビールックとは、米国　 4 　（ア．東部の名門大学　イ．西部の私立高校）の学
　　生のようなスタイルである。なお、「アイビー（Ivy）」とは、　 5 　（ア．蔦　イ．枝）
　　の意味である。

解答：1.イ　2.ア　3.イ　4.ア　5.ア

問16　下記a～eは、スカートに関する文章です。□□□□の中にあてはまる言葉を、
　　　それぞれの（ア・イ）から選び、解答番号の記号をマークしなさい。

a．アンブレラスカートは、□ 1 □のようなシルエットである。

　　ア．傘

　　イ．独楽

b．パニエは、スカートの□ 2 □ために用いられる。

　　ア．着脱を容易にする

　　イ．両脇を広げるために

c．スカートの「蹴廻し」とは、□ 3 □の寸法のことである。

　　ア．腰回り

　　イ．裾回り

d．ジャンパースカートは、袖のない□ 4 □に近い形態をしている。

　　ア．ドレス

　　イ．ブルゾン

e．ナロースカートは、□ 5 □シルエットのスカートをさす。

　　ア．ほっそりした

　　イ．ゆったりとした

解答：1.ア　2.イ　3.イ　4.ア　5.ア

問17　下記a～cは、メンズファッションに関する文章です。 _____ の中にあては
　　　まるものを、語群（ア～ク）から選び、解答番号の記号をマークしなさい。

a.「男性」は英語ではman、[1]語ではhomme、[2]語ではuomoとなる。

b. ブリティッシュスタイルは、[3]流のファッションスタイルをさす。

c. 民族衣装「[4]」とは、スコットランドの伝統的な男性用の巻きスカートのことで、
　　[5]チェックの毛織物で作られている。

ア	スペイン	イ	イタリア	ウ	フランス	エ	イギリス
オ	ルパシカ	カ	タータン	キ	グレン	ク	キルト

解答：1.ウ　2.イ　3.エ　4.ク　5.カ

問18　下記a〜cは、コートに関する文章です。　□　の中にあてはまるものを、
語群（ア〜ク）から選び、解答番号の記号をマークしなさい。

a．ダッフルコート

　厚手の起毛素材を用いた　1　のあるコート。角型の　2　ボタンを細いロープ
に掛けて留めるのが基本的スタイルである。

b．ピーコート

　厚手ウールを用いたショートコート。船上などで風向きによって、　3　ブレストを
左右どちらでも上前にして着用することができる。

c．チェスターフィールド

　上衿に　4　を使った　5　なイメージのコート。名称の由来は、このコートを
最初に着用した英国の伯爵の名前といわれている。

ア	ダブル	イ	ドレッシー	ウ	ベルベット	エ	ペプラム
オ	フード	カ	シングル	キ	トグル	ク	コーデュロイ

解答：1.オ　2.キ　3.ア　4.ウ　5.イ

問19　下記a～eは、ニットウェアおよびカットソーに関する文章です。　　　　　の中にあてはまるものを、それぞれの（ア～ウ）から選び、解答番号の記号をマークしなさい。

a．経編みとは、　1　方向に編み目を作る編み方である。
　　ア．縦
　　イ．横
　　ウ．斜め

b．「ホールガーメント製品」には、　2　がない。
　　ア．ストレッチ性
　　イ．ボタン
　　ウ．縫い目

c．「　3　」は、コースゲージともいう。
　　ア．ハイゲージ
　　イ．ローゲージ
　　ウ．ファインゲージ

d．「ゴム編み」は、　4　ともいう。
　　ア．リブ編み
　　イ．平編み
　　ウ．天竺編み

e．「カット＆　5　」をカットソーと略す場合が多い。
　　ア．ソーラー
　　イ．ソール
　　ウ．ソーン

解答：1.ア　2.ウ　3.イ　4.ア　5.ウ

— 150 —

問20　下記a・bは、子供用品に関する文章です。□□□の中にあてはまる言葉を、そ
　　　れぞれの（ア・イ）から選び、解答番号の記号をマークしなさい。

a.「ロンパース」の形状は、トップとボトムが　　1　　（ア．一体型　イ．セパレート式）
　　で、足部が覆われて　　2　　（ア．いる　イ．いない）。主な用途は　　3　　（ア．ト
　　ドラー　イ．ラガード）、すなわち「よちよち歩きの幼児」用の遊び服である。

b.「レイエット」とは、　　4　　（ア．女児用ウェア　イ．新生児用品一式）のことで、
　　この言葉が、ファッションブランド品に用いられる場合は　　5　　（ア．多い　イ．少
　　ない）といえる。

解答：1.ア　2.イ　3.ア　4.イ　5.ア

問21　下記a～cは、色彩に関する文章です。☐☐☐の中にあてはまる言葉を、語群（ア～ク）から選び、解答番号の記号をマークしなさい。

a．混色をするときの元となる色を　1　といい、色数は　2　である。

b．　3　とは、濁りのない鮮やかな、同じ色相の中でもっとも　4　が高い色をさす。

c．すべての色の中で、もっとも　5　が高い色は「白」である。

ア	彩度	イ	三つ	ウ	純色	エ	昆濁色
オ	原色	カ	照度	キ	明度	ク	四つ

解答：1.オ　2.イ　3.ウ　4.ア　5.キ

問22　下記a～eは、織物に関する文章です。正しいと思われるものには、解答番
　　　号の記号アを、誤っていると思われるものには、記号イをマークしなさい。

a．平織、斜文織、パイル織を、織物の三原組織という。　　　　　　　1

b．平織の代表的なものに、ギンガム、ブロード、ローンがある。　　　2

c．斜文織の代表的なものに、サテン、ベネシャンがある。　　　　　　3

d．パイル織の代表的なものに、別珍、ビロードがある。　　　　　　　4

e．カットソーは、織物の一種である。　　　　　　　　　　　　　　　5

解答：1.イ　2.ア　3.イ　4.ア　5.イ

問23 下記a〜eは、ＪＩＳの衣料サイズに関する文章です。 の中にあては
まる言葉を、語群（ア〜ク）から選び、解答番号の記号をマークしなさい。

a．成人女子用衣料のＡＢ体型は、Ａ体型よりヒップが4cm 1 人の体型をいう。

b．成人女子用衣料の9ＡＲとは、バスト83cm、ヒップ 2 cmで、身長158cmの人向き
であることを表す。

c．ニットなどのフィット性をあまり必要としない衣服には、 3 が用いられる。

d．成人女子用衣料の身長のサイズ表記で、 4 は小さいを意味する。

e．成人男子用衣料の体型は10種類あり、「Ｊ体型」から「 5 体型」に区分される。

ア	小さい	イ	範囲表示	ウ	Ｐ	エ	91
オ	Ｅ	カ	93	キ	単数表示	ク	大きい

解答：1.ク 2.エ 3.イ 4.ウ 5.オ

問24　下記 a ～ e は、繊維製品の取扱い絵表示記号です。それぞれにあてはまる説明文を、それぞれの（ア・イ）から選び、解答番号の記号をマークしなさい。

a	（F記号）	ア. 石油系溶剤によるドライクリーニングができる イ. 石油系溶剤による弱いドライクリーニングができる	1
b	（アイロン記号）	ア. 底面温度150℃を限度としてアイロン仕上げができる イ. 底面温度110℃を限度として、スチームなしでアイロン仕上げができる	2
c	（洗濯60記号）	ア. 液温は60℃を限度とし、洗濯機で洗濯ができる イ. 液温は60℃を限度とし、洗濯機で弱い洗濯ができる	3
d	（三角記号）	ア. 酵素系漂白剤の使用はできるが、塩素系漂白剤は使用禁止 イ. 塩素系及び酵素系の漂白剤を使用して漂白ができる	4
e	（平干し記号）	ア. ぬれ平干しがよい イ. 脱水後、平干しがよい	5

解答：1.ア　2.イ　3.イ　4.イ　5.イ

問25　下記は、アパレルの分類についての文章です。□□□の中にあてはまる言葉を、語句（ア～ク）から選び、解答番号の記号をマークしなさい。

　アパレルの機能による分類には、フォーマルウェアなどの　1　分類、トップス・ボトムスなどの　2　分類があり、デザインによる分類には、カジュアル・フェミニンなどの　3　分類、Ｖネックセーターなどの　4　分類がある。その他にホールガーメントなどの素材・　5　による分類がある。

ア	イメージ	イ	ディテール	ウ	加工	エ	シルエット
オ	用途	カ	形態	キ	シーズン	ク	マインド

問26 下記a〜eはネックラインのディテールに関する文章です。正しいと思われ
　　　るものには、解答番号の記号アを、誤っていると思われるものは解答番号の
　　　記号イをマークしなさい。

a．クルーネックラインは、船員が着るセーターによく見られたことが名の由来である。

　　　　　　　　　　　　　　　　　　　　　　　　　　　　　　　　1

b．スラッシュドネックラインとは、前後とも襟ぐりをカットせず、ほぼ水平にカットした
　　ネックラインのことである。　　　　　　　　　　　　　　　　　　2

c．ホルターネックラインは、水着やリゾートウエアに多いデザインである。　　3

d．ボトルネックラインは、英語ではレイズドネックラインと呼ぶ。　　　　4

e．スカラップドネックラインは、半円形が連続した波型の縁飾りによってつくられたライ
　　ン。スカラップとは「帆立貝」のことである。　　　　　　　　　　5

解答：1.ア　2.ア　3.ア　4.イ　5.ア

— 157 —

問27　下記a〜eは、下着に関する問題です。それぞれに該当するものを、イラスト群（ア〜ク）から選び、解答番号の記号をマークしなさい。

a．スポーツクラブに行くときに、動きやすいブラジャー　　　　　　　| 1 |

b．スリップドレスやキャミソールワンピースで、肩紐が出ないブラジャー　| 2 |

c．カットソー素材のタンクドレスのラインに響かない、ブラジャー　　| 3 |

d．背中の開いたウエディングドレスに合わせるブラジャー　　　　　| 4 |

e．身体にフィットしたカクテルドレスを着る時に体型全体を補正　　| 5 |

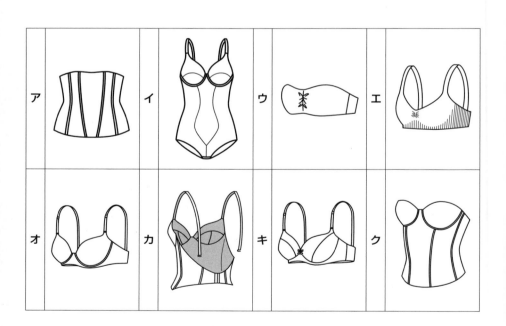

解答：1.エ　2.ウ　3.オ　4.カ　5.イ

問28　下記a～eは、アクセサリーに関する問題です。設問に対して、より適切と思われるものをそれぞれの（ア・イ）から選び、解答番号の記号をマークしなさい。

a．次の巻き物と言われるアイテムをサイズが大きい順に左から並べると、正しいものを選びなさい。　　　　　　　　　　　　　　　　　　1

　ア．ショール ＞ ストール ＞ マフラー ＞ スカーフ ＞ ネッカチーフ

　イ．ショール ＞ マフラー ＞ ストール ＞ ネッカチーフ ＞ スカーフ

b．アスコットタイとボータイについての文章で正しいものを選びなさい。　　2

　ア．アスコットタイとボータイは同じものである

　イ．ボータイは蝶ネクタイと同じものである

c．小指に付ける指輪の名称について正しいものを選びなさい。　　3

　ア．ピンキーリング

　イ．ベビーリング

d．次の図のイヤーアクセサリーの名称で正しいものを選びなさい。　　4

　ア．イヤーカフ

　イ．イヤーフック

e．次の図のサンダルの名称で正しいものを選びなさい。　　5

　ア．スポーツサンダル

　イ．グラディエーターサンダル

解答：1.ア　2.イ　3.ア　4.ア　5.イ

問29　下記a～eは天然繊維に関する問題です。設問に対する解答を、それぞれの
　　　（ア～ウ）から選び、解答番号の記号をマークしなさい。

a．皇后が代々引き継いで育てている、繊維の原料になるものを選びなさい。　　□1□

　　ア．蚕

　　イ．ウサギ

　　ウ．綿

b．カゴバックや帽子に使われる素材ストローの原材料を選びなさい。　　□2□

　　ア．籐（とう）

　　イ．い草（いぐさ）

　　ウ．麦わら

c．天然繊維でないものを選びなさい。　　□3□

　　ア．ヌバック

　　イ．エクセーヌ

　　ウ．バックスキン

d．次のエキゾチックレザーと呼ばれる皮革の中で、爬虫類でないものを選びなさい。

　　ア．リザード　　　　　　　　　　　　　　　　　　　　　　　　　　　□4□

　　イ．オーストリッチ

　　ウ．パイソン

e．高温多湿な夏に最適な吸水速乾性を持つ素材、リネンの原料を選びなさい。　□5□

　　ア．亜麻

　　イ．苧麻

　　ウ．黄麻

解答：1.ア　2.ウ　3.イ　4.イ　5.ア

問30　下記a〜eは、生地加工に関する文章です。それぞれに該当するものを、それぞれの（ア・イ）から選び、解答番号の記号をマークしなさい。

a．綿やレーヨンなどが苛性ソーダで収縮する性質を利用して、凹凸やしぼを作る。

　ア．リップル加工　　　　　　　　　　　　　　　　　　1

　イ．ワッシャー加工

b．繊維の毛羽を布生地の表面に接着剤でつけ、ベルベットのような外観にする。　2

　ア．オパール加工

　イ．フロッキー加工

c．スカートのプリーツなどの生地に加工液をしみこませ、プレスして折り目に耐久性をつける。

　　　　　　　　　　　　　　　　　　　　　　　　　　　3

　ア．コーティング加工

　イ．シロセット加工

d．模様を彫刻した2本の金属のロールに布をはさんで圧力をかけ、模様をつける。

　ア．エンボス加工　　　　　　　　　　　　　　　　　　4

　イ．ボンディング加工

e．軽石などに酸化剤を浸み込ませて洗い、デニムの色落ちを促し、使い込んだ雰囲気を出す。

　　　　　　　　　　　　　　　　　　　　　　　　　　　5

　ア．ストーンウオッシュ加工

　イ．ケミカルウオッシュ加工

解答：1.ア　2.イ　3.イ　4.ア　5.イ

問31　下記 a ～ e は、柄の名称です。それぞれ該当する発祥地を、語群（ア～ク）
　　　から選び、解答番号の記号をマークしなさい。

a．マドラスチェック　　　　　　　　　　　　　　　　　　| 1 |

b．市松模様　　　　　　　　　　　　　　　　　　　　　　| 2 |

c．ガンクラブチェック　　　　　　　　　　　　　　　　　| 3 |

d．ジャカード柄　　　　　　　　　　　　　　　　　　　　| 4 |

e．レジメンタルストライプ　　　　　　　　　　　　　　　| 5 |

ア	フランス	イ	アメリカ	ウ	イギリス	エ	イタリア
オ	日本	カ	中国	キ	インド	ク	モロッコ

解答：1.キ　2.オ　3.イ　4.ア　5.ウ

問32 下記a～eは、色彩や配色に関する問題です。設問に対する解答を、それぞれの（ア～ウ）から選び、解答番号の記号をマークしなさい。

a．パステルカラーの重さと膨張性について、正しいものを選びなさい。　　　　　　　1

　　ア．色の重さが軽く見え、収縮色である

　　イ．色の重さが重く見え、後退色である

　　ウ．色の重さが軽く見え、膨張色である

b．純色に灰色を足したもので、「中間色」ともいわれ、比較的くすんだ表情を持つものを選びなさい。　　　　　　2

　　ア．清色

　　イ．濁色

　　ウ．配色

c．モノトーンのコーディネートに赤いバッグで変化をつけるテクニックを選びなさい。

　　ア．グラデーション　　　　　　　　　　　　　　　　　　　　　　　　　　　　3

　　イ．セパレーション

　　ウ．アクセント

d．次のうち、誤っているものを選びなさい。　　　　　　　　　　　　　　　　　　4

　　ア．反対色と補色は同じ意味である

　　イ．明るい色ほど軽く柔らかく見える

　　ウ．彩度が低く、明るめな色は弱く感じる

e．色料の三原色と色光の三原色に関して正しいものを選びなさい。　　　　　　　　5

　　ア．色料の三原色は、テレビやコンピューターのディスプレーなどの色のことである

　　イ．色光の三原色は、混色すると基の色よりも明るくなるので加法混色という。

　　ウ．シアンとは、赤色のことを指す。

解答：1.ウ　2.イ　3.ウ　4.ア　5.イ

問33　下記a〜eは、糸に関する文章です。正しいと思われるものには、解答番号の記号アを、誤っていると思われるものには記号イをマークしなさい。

a．綿やウールは長繊維、絹や化学繊維は短繊維である。　　　　　　　　1

b．長繊維を短く切ったものを、ステープルと呼ぶ。　　　　　　　　　　2

c．長繊維を引き揃えた糸をフィラメントヤーン、短繊維を引き揃えた糸をスパンヤーンと呼ぶ。　　　　　　　　　　　　　　　　　　　　　　　　　　　3

d．一般的に、強撚糸は夏物の生地に使われることが多い。　　　　　　　4

e．綿とウールなど異なった繊維を混ぜて紡績した糸を混紡糸という。　　5

解答：1.イ　2.ア　3.ア　4.ア　5.ア

問34 下記a～eは、裏地に関する文章です。正しいと思われるものには、解答番号の記号アを、誤っていると思われるものには、記号イをマークしなさい。

a. 裏地は衣服の着脱を容易にするだけではなく、型崩れを防ぐことも出来る。 　　1

b. ナイロンの裏地は、軽く、強く、熱に対して強い。 　　2

c. ポリエステルの裏地は、しわになりにくく摩擦に強い。 　　3

d. キュプラの裏地は、吸湿性が高く、静電気が起きにくい。 　　4

e. 裏地は衣服の裏側に使われる為、色を気にする必要はない。 　　5

解答：1.ア 2.イ 3.ア 4.ア 5.イ

問35 下図a～eは、品質表示に関する問題です。それぞれにあてはまる説明文を、文章群（ア～ク）から選び、解答番号の記号をマークしなさい。

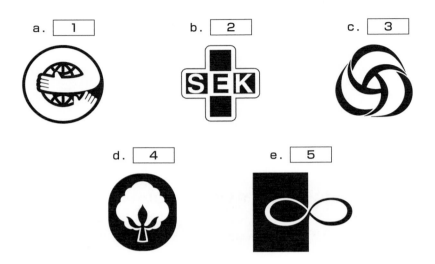

a. ⬚1⬚　　　b. ⬚2⬚　　　c. ⬚3⬚

d. ⬚4⬚　　　e. ⬚5⬚

ア	製品が新毛を100％使用し、決められた品質基準を満たしている表示。
イ	日本国内で染色整理加工、織り・編み、縫製を行った国産のアパレル製品に表示。
ウ	清潔・衛生・快適を表す機能性素材の表示。
エ	床敷物やカーテンなどの製品において、品質が一定基準の繊維製品を購入するときの目安となるための表示。
オ	製品が新毛を30～49.9％使用し、決められた品質基準を満たしている表示。
カ	紡績から縫製まで日本製で、綿100％製品につけられ、綿製品の需要拡大と品質向上のために表示。
キ	衣料品や繊維二次製品の縫製と仕上がりが優れている商品に表示。
ク	製造段階から廃棄まで、環境に配慮した製品であることを示した表示。

解答：1.ク　2.ウ　3.オ　4.カ　5.イ

問36　下記a～eは、インナーウェアに関する文章です。　□　の中にあてはまる
　　　言葉を、それぞれの（ア・イ）から選び、解答番号の記号をマークしなさい。

a．ブラジャーには補正のためにワイヤーが入っているタイプと　1　（ア．ワイヤーレ
　　ス　イ．ノンワイヤー）タイプがある。

b．女性の下半身を美しく整える下着に　2　（ア．ガードル　イ．ボディスーツ）が
　　ある。

c．テディには、　3　（ア．クロッチ　イ．スワッチ）部分にスナップが付いて開閉で
　　きるものが多い。

d．インナーウェアの洗濯方法は、ネットに入れて洗濯し、　4　（ア．乾燥機　イ．陰
　　干し）で乾燥させる。

e．新素材として、暖かいだけでなく肉体疲労を改善する繊維素材の　5　（ア．ナノプ
　　ラチナ　イ．ナノシルバー）が開発され、インナーウェアに使用されている。

解答：1.イ　2.ア　3.ア　4.イ　5.ア

問37 下記a〜eは、ネックレスに関する文章です。[_____]の中にあてはまる言葉を、それぞれの（ア・イ）から選び、解答番号の記号をマークしなさい。

a. オメガネックレスは、[1]ため、重いヘッドがついてもその形が変わらない。

　ア．オメガ（Ω）の形に作られている

　イ．オメガ社の時計をイメージしている

b. ビブネックレスのビブとは、[2]のことである。

　ア．ミシュラン社キャラクターのビバンダム

　イ．よだれかけ

c. コンバーチブルネックレスのコンバーチブルとは、[3]という意味である。

　ア．二種類以上の様式、使い方ができるデザイン

　イ．屋根がない車のように開放的なデザイン

d. ラリアットネックレスのラリアットは、[4]のことを表す。

　ア．投げ縄

　イ．掛け橋

e. チョーカーは、[5]という意味で、首周りにぴったりつけるデザインである。

　ア．首を絞める

　イ．首に巻く

解答：1.ア　2.イ　3.ア　4.ア　5.ア

問38　下記a〜eは、素材に関する文章です。正しいものには解答番号の記号アを、誤っているものには記号イをマークしなさい。

a．獣毛は羊毛に比べて糸にしづらく、毛玉になりやすいという特徴がある。　　　| 1 |

b．セーターなどにウールと混紡でよく使われる合成繊維は、ナイロンである。　　| 2 |

c．フィラメントヤーンは肌への感触が柔らかく、スパンヤーンは肌触りが冷たいものが多い。　　| 3 |

d．紡毛糸（ぼうもうし）は梳毛糸（そもうし）に比べると毛羽立ちしやすい。　　| 4 |

e．動物愛護の精神から需要が増えているエコファーは、自然にもやさしい。　　| 5 |

解答：1.ア　2.イ　3.イ　4.ア　5.イ

問39　下記a・bは、洋服のシルエットに関する文章です。　　　　の中にあてはま
　　　る言葉を、語群（ア～ク）から選び、解答番号の記号をマークしなさい。（解
　　　答番号2は同じ言葉を2回使用）

a．1955年春夏コレクションでAラインを発表したのは、デザイナーの　1　である。彼
　　は同年、　2　のシルエットラインも発表している。この　2　のシルエットラ
　　インは、くさびに似ているため、　3　と呼ばれることも多い。

b．ストレートラインには、箱型のボックスラインの他、長方形の　4　や、　5
　　がある。

ア	ウエッジライン	イ	ジバンシー	ウ	Hライン	エ	Yライン
オ	Xライン	カ	レクタンギュラーライン	キ	ディオール	ク	シニュアスライン

解答：1.キ　2.エ　3.ア　4.カ　5.ウ

問40　下記は、ジャケットの部位名称を解説した図です。それぞれに当てはまる名称
　　　を、それぞれの語群（ア〜ウ）から選び、解答番号の記号をマークしなさい。

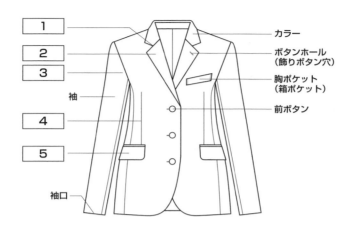

1の語群	ア	ゲージ	イ	ゴージ	ウ	ベント
2の語群	ア	カラー	イ	ラペル	ウ	ウイング
3の語群	ア	アームホール	イ	フラワーホール	ウ	ショルダーホール
4の語群	ア	タック	イ	シーム	ウ	ダーツ
5の語群	ア	ウエルト	イ	チェンジ	ウ	フラップ

解答：1.イ　2.イ　3.ア　4.ウ　5.ウ

問41　下記 a ～ e は、トーンのイメージに関する文章です。　　　　　の中にあてはまる言葉を、語群（ア～ク）から選び、解答番号の記号をマークしなさい。

a．暖色には、赤・オレンジ・　 1 　などがある。

b．軽い色のトーンは、ベリーペール・　 2 　・ライトグレイッシュなどが該当する。

c．重い色のトーンには、ベリーダーク・ダーク・　 3 　などが該当する。

d．地味な色のトーンには、　 4 　・グレイッシュ・ダークグレイッシュなどが該当する。

e．派手な色のトーンには、ビビッド・ライト・　 5 　・ディープなどが該当する。

ア	ストロング	イ	ディープ	ウ	ピンク	エ	イエロー
オ	ソフト	カ	ペール	キ	ライトグレイッシュ	ク	ダル

解答：1.エ　2.カ　3.イ　4.キ　5.ア

問42　下記a〜eは、アパレル素材に関する問題です。設問に対する回答を、それ
　　　ぞれの（ア〜ウ）から選び、解答番号の記号をマークしなさい。

a．次の中から、半合成繊維を選びなさい。　　　　　　　　　　　　　　 1

　　ア．ナイロン

　　イ．アルパカ

　　ウ．アセテート

b．次の中から、人工皮革を選びなさい。　　　　　　　　　　　　　　　 2

　　ア．クロコダイル

　　イ．エクセーヌ

　　ウ．フェザー

c．次の中から、植物繊維を選びなさい。　　　　　　　　　　　　　　　 3

　　ア．キュプラ

　　イ．アンゴラ

　　ウ．ラミー

d．次の中から、精製セルロース繊維を選びなさい。　　　　　　　　　　 4

　　ア．テンセル

　　イ．ベンベルグ

　　ウ．ムートン

e．次の中から、動物繊維を選びなさい。　　　　　　　　　　　　　　　 5

　　ア．ジュート

　　イ．カシミヤ

　　ウ．バンブー

解答：1.ウ　2.イ　3.ウ　4.ア　5.イ

問43　下記a〜eは、糸に関する文章です。正しいと思われるものには解答番号の
　　　記号アを、誤っていると思われるものには記号イをマークしなさい。

a．繊維を糸にすることを広義に「紡績」という。 　　　　　| 1 |

b．糸の太さを表す番手は、数字が大きくなるほど太くなる。 　　| 2 |

c．5cm以上の比較的長く揃った羊毛を引き揃えた糸を紡毛糸という。 | 3 |

d．単糸は通常、左撚り（Z撚り）である。 　　　　　　| 4 |

e．ワイシャツの生地は、通常300番手の糸を使用している。 　　| 5 |

解答：1.ア　2.イ　3.イ　4.ア　5.イ

問44 下記a～eは、織物に関する文章です。正しいと思われるものには解答番号の記号アを、誤っていると思われるものには記号イをマークしなさい。

a. 織物や編み物のことを、総称して「布帛」という。 　　　　　　　　1

b. 織物の特徴として、一般的に平織はしなやかであり、綾織りは丈夫である。 　　2

c. ギャバジン、サージは綾織りである。 　　　　　　　　3

d. ブロード、ギンガム、オックスフォードは平織りである。 　　　　　4

e. 朱子織りは、一般的に強度が弱い。 　　　　　　　　5

解答：1.イ 2.イ 3.ア 4.ア 5.ア

問45　下記a〜eは、副資材に関する文章です。それぞれにあてはまるものを、語群（ア〜ク）から選び、解答番号の記号をマークしなさい。

a．スーツ等の裏地に多く使われる素材。光沢があり、軽く、薄い。さらに吸湿性が高く、静電気も起きにくい。 　　　　　　　　　　　　　　　　　　　　　　 　1

b．日本では「マジックテープ」、米国では「ベルクロ」と呼ばれる副資材。 　2

c．牛乳を原料としたカゼイン樹脂でできているボタン。 　3

d．コート等で力のかかる箇所を補強する目的で、ボタンの裏に付ける小さなボタン。 　4

e．馬の尻尾でできた芯地。 　5

ア	ポリエステル	イ	力ボタン	ウ	面ファスナー	エ	ドミット芯
オ	オープンファスナー	カ	バス芯	キ	キュプラ	ク	ラクトボタン

解答：1.キ　2.ウ　3.ク　4.イ　5.カ

問46　下記 a ～ e は、サイズの知識に関する問題です。設問に対してより適切であると思われるものを、それぞれの（ア・イ）から選び、解答番号の記号をマークしなさい。

a．AB体型　　　　　　　　　　　　　　　　　　　　　1

　　ア．A体型よりヒップが４cm小さい人の体型

　　イ．A体型よりヒップが４cm大きい人の体型

b．R（身長区分）　　　　　　　　　　　　　　　　　　2

　　ア．身長150cmの記号

　　イ．身長158cmの記号

c．9AR　　　　　　　　　　　　　　　　　　　　　　3

　　ア．バスト83cm、ヒップ91cm

　　イ．バスト83cm、ヒップ89cm

d．JIS規格のサイズ表で決められている、一定の幅の中心値を代表させて表示すること。

　　ア．範囲表示　　　　　　　　　　　　　　　　　　4

　　イ．単数表示

e．成人男子の体型　　　　　　　　　　　　　　　　　5

　　ア．チェストとウエストの寸法差で区分される。

　　イ．チェストとヒップの寸法差で区分される。

解答：1.イ　2.イ　3.ア　4.イ　5.ア

問47　下記 a ～ e は、品質管理に関する用語です。それぞれにあてはまる説明を、文章群（ア～ク）から選び、解答番号の記号をマークしなさい。

a．ピリング　　　　　　　　　　　　　　　　　　　| 1 |

b．目飛び　　　　　　　　　　　　　　　　　　　　| 2 |

c．滑脱　　　　　　　　　　　　　　　　　　　　　| 3 |

d．仕上げ不良　　　　　　　　　　　　　　　　　　| 4 |

e．シームパッカリング　　　　　　　　　　　　　　| 5 |

ア	縫い目の縮みのこと。
イ	摩擦などによって地糸がずれて、寄ってしまうもの。
ウ	シワ、糸残り、針混入などを総称した不良。
エ	針落ち位置が縫い代から外れているもの。
オ	合成繊維ニットなどによく見られる毛玉ができること。
カ	織り地に穴があく、裂ける、地糸の一部が切れるなどの傷のこと。
キ	縫い目に力がかかり、地糸がスリップ（移動）すること。
ク	縫い目が部分的に飛んでしまう現象のこと。

解答：1.オ　2.ク　3.キ　4.ウ　5.ア

問48　下記 a ～ e は、品質管理に関する問題です。正しいと思われるものには解答
　　　番号の記号アを、誤っていると思われるものには記号イをマークしなさい。

a．ＳＥＫマーク

　　エコテックス®国際共同体が制定した繊維製品の国際的な安全認証。　　　　　| 1 |

b．ウールマーク

　　製品が新毛を50％～99.9％使用し、決められた品質基準を満たしている証明。　| 2 |

c．ウール・ブレンド

　　製品が新毛を30％～49.9％使用し、決められた品質基準を満たしている証明。　| 3 |

d．ジャパン・コットン・マーク

　　国内外で製造した綿素材を日本で縫製した、綿100％製品につけられ、綿製品の需要拡
　　大と品質向上のための表示。　　　　　　　　　　　　　　　　　　　　　　　| 4 |

e．Ｊクオリティー

　　一般財団法人繊維評価技術協議会（ＪＴＥＴＣ）が認定した機能性素材のマークである。
　　　　　　　　　　　　　　　　　　　　　　　　　　　　　　　　　　　　　| 5 |

解答：1.イ　2.イ　3.ア　4.イ　5.イ

第49回

ファッション販売能力検定

3級〔A科目〕

実　施　日　　2023年7月8日（土）
試験時間　　9：20 〜 10：50

注意事項 ［答案用紙（マークシート）は、絶対に折り曲げないこと］

1．試験開始まで、この問題冊子を開いてはいけません。
2．試験開始の合図があってから、試験問題のページが順番になっているかを確認すること。
　　試験問題のページが抜けていたり、印刷が不鮮明である場合は、その場で手をあげ、試験係員に試験問題のとりかえを申し出ること。
3．答案用紙のマークの仕方に注意すること。

4．答案用紙の注意事項を読み、枠内の所定の欄に次のことを注意して記入すること。
　　a）氏名、学校名または企業・団体名を記入すること。個人受験者は、試験会場名を記入すること。
　　b）受験科目の欄の《ファッション販売能力検定》の「3級（A科目）」をマークすること。
　　c）受験地・会場・受験番号は、受験票を確認しながら正確に記入・マークすること。
5．解答は、問番号の数字と同一の解答欄のア〜クまでのマークを、問の指示に従って、鉛筆またはシャープペンシル（HB）でぬりつぶすこと。

6．試験中、質問があるときは、黙って手をあげること。ただし、試験問題の内容に関する質問は受けません。
7．試験開始後の30分間は退場できません。それ以後、終了時間前に解答が終了した人は黙って手をあげ、試験係員の指示に従って退場すること。
　　再入場および試験終了5分前からの退場はできません。
8．受験者間の筆記用具の貸し借りは禁止します。参考書等は机の上、机の中に置くことを禁止します。
9．携帯電話の電源は切り、鞄の中にしまっておくこと。
10．終了時刻になったら筆記用具を置き、着席のまま試験係員の指示に従うこと。
11．合否通知は、2023年8月下旬頃に通知します。

一般財団法人　日本ファッション教育振興協会

問1 下記は、ファッションとアパレルに関する文章です。 [　　　] の中にあてはまる言葉を、語群（ア〜ク）から選び、解答番号の記号をマークしなさい。

　ファッションの語源は [1] 語のファクティオで、作ることや行為、活動を意味したが、名詞の第一義として、流行や風習、特に [2] 階級の慣習の型をさしていた。第二に語源本来の意味から仕方や方法、様式・型や流行界、社交界を意味した。

　[3] は衣服そのものを意味するが、ファッションには流行や風俗、生活の仕方や行動など多様な意味を表す。その時代の人々の趣味や嗜好、社会環境、経済状況を反映する。流行は [4] があり、年数を経て、同じテーマで服作りが行われることもある。たとえば [5] は20年前の流行を再現しているが、まったく同じ服ではない。

ア	M2O	イ	周期	ウ	ブルジョワ	エ	貴族
オ	ラテン	カ	アパレル	キ	Y2K	ク	イタリア

問2　下記は、ファッション販売に関する文章です。□□□□の中にあてはまる言葉を、それぞれの語群（ア～ウ）から選び、解答番号の記号をマークしなさい。

　ファッション販売では、お客様からの質問に答え、探しているであろう商品を提示し、説明して、さらに　6　や着こなしのアドバイスをしながら接客を行う。

　心地よく的確な接客サービスが提供され、さらに希望の商品に出会えたときに、お客様は大きな満足感を得る。そのもとになるのが、　7　の気持ちと接客の技術である。来店したすべてのお客様に対して、まずは明るく挨拶をする。その後もお客様の様子を観察しながら、アプローチの　8　を計ることが大切である。さらに深い会話へと進めるように場の　9　をつくることもアプローチの目的であるから、声掛けの　10　を工夫することを忘れてはならない。

6の語群	ア	ご予算	イ	支払い方法	ウ	コーディネート
7の数群	ア	おもいやり	イ	おもてなし	ウ	お出迎え
8の語群	ア	ＴＰＯ	イ	タイミング	ウ	グリーティング
9の語群	ア	空気	イ	求心力	ウ	雰囲気
10の語群	ア	フレーズ	イ	キラーコンテンツ	ウ	メッセージ

問3　下記は、販売スタッフに求められる能力や知識に関する文章です。 [   ] の中にあてはまる言葉を、語群（ア〜ク）から選び、解答番号の記号をマークしなさい。

　お客様の情報から描いた商品イメージに販売スタッフの感性をプラスして、お客様に喜ばれるアドバイスができる [11] を磨くためには、4つの知識と技術が必要である。取り扱い商品に関する知識（[12]）、話し方や質問のしかたなどの販売技術（[13]）、2023年春夏の流行色やファッショントレンド（[14]）、消費者の購買動向（[15]）や売れている商品の情報などである。

ア	共感力	イ	一般社会知識	ウ	提案力	エ	人間力
オ	ファッション情報知識	カ	ファッション専門技術	キ	ファッション専門知識	ク	創造力

問4　下記a～eは、お客様の「個性」に関する文章です。　　　　　の中にあてはまる言葉を、それぞれの（ア～ウ）から選び、解答番号の記号をマークしなさい。

a．これからのファッション消費のけん引役になるのは、（ア．団塊世代　イ．Z世代　ウ．α世代）である。
　　　　　　　　　　　　　　　　　　　　　　　　　　　　　　　　　　　16

b．アフターコロナでは、徐々に（ア．ギフト　イ．モチベーション　ウ．オケージョン）ニーズが高まってきている。
　　　　　　　　　　　　　　　　　　　　　　　　　　　　　　　　　　　17

c．販売スタッフは、暖冬や猛暑などの（ア．シーズン　イ．景気　ウ．潜在ニーズ）による購買動向の変化も敏感に感じ取れるようにしておく必要がある。
　　　　　　　　　　　　　　　　　　　　　　　　　　　　　　　　　　　18

d．お客様のパーソナリティーは、骨格診断では（ア．判断することができる　イ．判断できない　ウ．どちらともいえない）。
　　　　　　　　　　　　　　　　　　　　　　　　　　　　　　　　　　　19

e．お客様のアウトドア志向はアフターコロナでは、（ア．キャンプ　イ．ゴルフ　ウ．eスポーツ）の人気が高まっている。
　　　　　　　　　　　　　　　　　　　　　　　　　　　　　　　　　　　20

問5　下記 a ～ e は、無店舗小売業に関する文章です。正しいものには、解答番号の
　　　記号アを、誤っているものには記号イをマークしなさい。

a．無店舗販売で一番伸びているのはテレビショッピングである。

$\boxed{21}$

b．アパレルのＥＣ（ネット販売）の売上高は、スマートフォンの普及率に比例する。

$\boxed{22}$

c．2021年に日本に進出したＳＨＥＩＮ（シーイン）は、韓国のアパレルＥＣである。

$\boxed{23}$

d．最近はアパレル企業が自社サイトを強化し、ＥＣモールと併用する動きが盛んである。

$\boxed{24}$

e．ZOZOTOWNは、8433ブランド（2022年3月末）を扱っている日本のアパレルＥＣの大
　　手である。

$\boxed{25}$

問6　下記a〜eは、ファッション小売業の業種業態に関する文章です。それぞれの設問に該当する解答を、それぞれの（ア〜ウ）から選び、解答番号の記号をマークしなさい。

a．ショッピングセンターは現在（2022年末）日本国内で何施設が営業しているか。

　ア．2968施設　　　　　　　　　　　　　　　　　　　　　26

　イ．3168施設

　ウ．3368施設

b．ショッピングセンターについての以下の文章で正しいものを選びなさい。　　27

　ア．ショッピングセンターとショッピングモールは同じである。

　イ．ファッションビルと駅ビルは同じである。

　ウ．アウトレットモールとファクトリーアウトレットストアは同じである。

c．百貨店についての以下の文章で正しいものを選びなさい。　　　　　　28

　ア．百貨店の平場で高級ブランドのショップが展開されている。

　イ．百貨店のデパチカでシャワー効果を狙っている。

　ウ．百貨店での期間限定ショップをポップアップショップという。

d．2023年4月4日フォーブス誌に発表された、世界長者番付で首位になった、ラグジュアリーブランドのグループの経営者は誰か。　　　　　　　　　　29

　ア．ベルナール・アルノー

　イ．フランソワ・ピノー

　ウ．アクセル・デュマ

e．系列においてアウトレットモールを経営していない日本の会社はどれか。　　30

　ア．イオン

　イ．イトーヨーカドー

　ウ．三井不動産

問7　下記a〜eは、お客様に関する文章です。正しいものには解答番号の記号アを、
　　　誤っているものには記号イをマークしなさい。

a．顧客になるプロセスでは、「感動する⇒期待する⇒イメージする⇒納得する⇒リピート
　　する」という段階を経て、店に対して信頼感や安心感を持つ。　　　　　31

b．商品を購入しなくても、すべて顧客である。　　　　　　　　　　　32

c．見込み客とは、自店の商品に関心が高く、近い将来必ず買うお客様のことである。
　　　　　　　　　　　　　　　　　　　　　　　　　　　　　　　　33

d．ロイヤルカスタマーは店舗へのロイヤリティが高いお客様のことを指す。　34

e．一見客のことをフリー客と言い換えることができる。　　　　　　　35

問8　下記 a〜e は、ライフスタイルショップに関する文章です。それぞれの設問に
　　　該当する解答を、それぞれの（ア・イ）から選び、解答番号の記号をマークし
　　　なさい。

a．ライフスタイルショップで表現されているのはどちらか。　　　　　　　36

　　ア．価値観

　　イ．世界観

b．一般的にライフスタイルショップの品揃えで正しいものはどちらか。　　37

　　ア．アパレル中心の店では取り扱わないような、食品関係のものも含まれる。

　　イ．アパレル中心の店のような、衣料品及び服飾雑貨のみである。

c．ライフスタイルショップではどのようなメリットがあるか。　　　　　　38

　　ア．回遊性が高くなる

　　イ．滞在時間が長くなる

d．ライフスタイルショップの販売スタッフに求められる知識はどれか。　　39

　　ア．特定アイテムの専門知識が求められる

　　イ．全アイテムの広く深い知識が求められる

e．ライフスタイルショップの競合はどのようにして起きるか。　　　　　　40

　　ア．異業種の参入

　　イ．外資系小売業の参入

問9　下記a〜eは、マーケティングの基礎知識に関する文章です。　　　　の中に
あてはまる言葉を、それぞれの語群（ア〜ウ）から選び、解答番号の記号をマ
ークしなさい。

a．マーケティングを市場調査と理解している人が多いが、本来は自社の商品やショップの
　　 41 　を作る活動を指す。

b．ファッション商品・店舗におけるマーケティングは、　 42 　が何を求めているのかを
　　調査し、商品開発や仕入れ、商品構成、価格設定、宣伝広告、販売方法、サービスなど
　　に生かす仕組みである。

c．お客様がどのような商品やサービスを求めているかが分かれば、店舗は的確で効果的に
　　 43 　ができ、販売効率の高い結果を得ることが出来る。

d．マーケティングを無視することはファッション市場の動向を知らず、　 44 　をつかめ
　　ないまま商品を販売するに等しい。

e．マーケティングのあり方は　 45 　とともに変化している。

41の語群	ア	店舗	イ	市場	ウ	広告
42の語群	ア	ディベロッパー	イ	販売スタッフ	ウ	お客様
43の語群	ア	商品提供	イ	宣伝活動	ウ	シフト
44の語群	ア	お客様層	イ	販売員の欲求	ウ	お客様の欲求
45の語群	ア	気象状況	イ	市場動向	ウ	文化活動

問10　下記a〜eは、マーケティングの概念と変遷を表した文章です。それぞれの
　　　説明で正しいものには、解答番号の記号アを、誤っているものには記号イを
　　　マークしなさい。

a．生産志向のマーケットとは　　　　　　　　　　　　　　　46
　　物不足の市場では、製品（商品）生産が第一となる。

b．製品（商品）重視志向のマーケットとは　　　　　　　　47
　　生活やファッションに対してある程度の満足度を持つと、さらに質の高い物への欲求が
　　高まる。そのことで良い製品の生産重視が優先する。

c．販売志向のマーケット　　　　　　　　　　　　　　　　48
　　人々の生活に物が十分行きわたると、何もしなければ売れない市場となる。商品販売を
　　するための戦略的概念が求められる。

d．顧客志向のマーケットとは　　　　　　　　　　　　　　49
　　大衆市場のマスマーケティングのマーケットインから、お客様視点で捉えた顧客志向の
　　プロダクトアウトとなる。

e．社会志向のマーケット　　　　　　　　　　　　　　　　50
　　市場のグローバル化に伴い、視点を為替相場に置いた概念のマーケティング活動が求め
　　られる。

問11　下記のa～eは、「マーケティング要素　商品価値」に関する文章です。
　　　□□□□□の中にあてはまる言葉を、語群（ア～ク）から選び、解答番号の記号
　　　をマークしなさい。

a．お客様が商品を購入するのは、商品を買うこと自体が目的ではなく、購買した商品の
　　「 51 価値」を求めるからである。

b．お客様が求めているのは、その商品から得られる効果という価値である。これを「 52
　　価値」という。

c．「 53 価値」とはこの商品なら最低限これだけの内容は備えていて当然といった価
　　値を言う。

d．今は必需品ではないが、ゆくゆくは購入したいと思える夢の持てる商品を「 54 価
　　値」という。

e．お客様の思った以上の商品価値を「 55 の価値」という。

ア	基本的	イ	便益	ウ	購入	エ	潜在的
オ	使用	カ	想像以上	キ	期待以上	ク	投資

問12　下記は、商品戦略に関する文章です。□□□の中にあてはまる言葉を、語群（ア〜ク）から選び、解答番号の記号をマークしなさい。

　商品戦略とは商品価値を踏まえ、お客様の気持ちに応える売れる商品作り、または　56　のことである。

　それには以下の6つのポイントを押さえていく必要がある。

1．基本的性能……素材や着用性、耐久性などの効用や機能性がある。

2．商品の持つ　57　……デザイン性が高い。

3．ブランドイメージ、ネーミング価値がある……知名度のあるネーミングでブランドのイメージや　58　が高い。

4．　59　ターゲット……対象となるお客様層が明確である。

5．商品に対するサービス的価値……アフターケアなどが行き届いている。

6．パッケージングイメージ……ブランドを含めたパッケージングイメージが高い。

　これらの商品戦略は、それぞれを　60　実施が有効性をもたらす。

ア	市場	イ	顧客	ウ	単独	エ	組み合わせる
オ	サービス クオリティー	カ	デザイン クオリティー	キ	仕入れ	ク	信頼性

問13　下記 a ～ e は、マーケティングの流通に関する文章です。正しいものには、
　　　解答番号の記号アを、誤っているものには記号イをマークしなさい。

ａ．物的流通とは、製造された商品が店舗からお客様に販売される物の流れである。

$\boxed{61}$

ｂ．商的流通とは、所有権とそれに伴う金銭の流れをいう。

$\boxed{62}$

ｃ．流通チャネルとは、限定された流通方法をいう。

$\boxed{63}$

ｄ．選択型チャネルとは、商品イメージをある程度保持する流通方法で、代表的なものに化
　　粧品がある。

$\boxed{64}$

ｅ．専属型チャネルとは、中間業者を限定せず取引をする専門的な流通方法である。

$\boxed{65}$

問14　下記のa～eは、商品の価格設定に関する文章です。正しいものには、解答
　　　番号の記号アを、誤っているものには記号イをマークしなさい。

a．お客様が商品の購入を決定するときに、最終的な判断材料となるのは価格である。

$\boxed{66}$

b．「需要対応型価格設定」とは、買い手市場型の価格設定である。　$\boxed{67}$

c．「コスト対応型価格設定」とは、競合店と比較して決定する価格設定である。　$\boxed{68}$

d．「対応型価格設定」とは、原材料の値上げを予測して行う予測型の価格設定である。

$\boxed{69}$

e．様々な価格設定の方法があるが、お客様の要求や市場動向に応じて柔軟に対応すること
　　が望ましい。　$\boxed{70}$

問15　下記a〜eは、プロモーションに関する文章です。□□□□の中にあてはまる
言葉を、語群（ア〜ク）から選び、解答番号の記号をマークしなさい。

a．マーケティングにおけるプロモーションとは、お客様に商品を知ってもらう伝達手段と
　　　71　　促進を担うものある。

b．　72　　とは、個人に向けて直接働きかけるプロモーションである。

c．口コミとは「　73　」ともいい、人から人に伝わるコミュニケーションのことである。

d．　74　　とは、商品やイベントなどの情報をマスコミ関係に提供し、記事として取り上
げてもらうプロモーションである。

e．　75　　とは、企業や店舗が社会やお客様と良好な関係を保つための活動をいう。

ア	投資	イ	購入	ウ	バズ	エ	プレミアム
オ	パブリック リレーションズ	カ	パブリシティー	キ	ダイレクト マーケティング	ク	ノベルティ

問16　下記は、現在のマーケット動向に関する文章です。□□□の中にあてはまる
　　　言葉を、語群（ア～ク）から選び、解答番号の記号をマークしなさい。

　コロナ禍のファッション消費は 76 から客離れが進む一方、 77 の普及とともに
通販モールや 78 の販売、レンタルといった新業態の参入が増えている。通販サイトに
加え、近年活発な 79 アプリ、さらに衣料品のレンタルや 80 、サブスクリプショ
ン型も広まり始めている。

ア	実店舗	イ	レンタル	ウ	中古品	エ	フリマ
オ	ＳＮＳ	カ	シェア	キ	ニーズ	ク	スマホ

問17　下記a〜eは、ファッション店舗のマーケティングに関する文章です。それ
　　　ぞれの設問に該当する解答を、それぞれの（ア〜ウ）から選び、解答番号の
　　　記号をマークしなさい。

a．ターゲットマーケティングのステップである「セグメンテーション」の意味として正し
　　いものを選びなさい。　　　　　　　　　　　　　　　　　　　　　81

　　ア．市場調査する

　　イ．市場細分化する

　　ウ．市場動向の把握

b．ターゲットマーケティングのステップである「ターゲティング」の意味として正しいも
　　のを選びなさい。　　　　　　　　　　　　　　　　　　　　　82

　　ア．競合店を決める

　　イ．対象顧客を決める

　　ウ．顧客満足度を図る

c．ターゲットマーケティングのステップである「ポジショニング」の意味として正しいも
　　のを選びなさい。　　　　　　　　　　　　　　　　　　　　　83

　　ア．出店地域の選定

　　イ．同質化を図る

　　ウ．差別化を図る

d．店舗運営において内部要因、外部要因を分析して整理していくことが重要である。分析
　　方法の名称で正しいものを選びなさい。　　　　　　　　　　　　84

　　ア．FABE分析

　　イ．B to B分析

　　ウ．SWOT分析

e．商圏の意味として正しいものを選びなさい。　　　　　　　　　85

　　ア．店舗の集客範囲

　　イ．店舗の床面積

　　ウ．店舗の最寄駅

問18　下記 a 〜 e は、売場での販売業務と付帯業務に関する文章です。 _____ の中にあてはまる言葉を、それぞれの（ア・イ）から選び、解答番号の記号をマークしなさい。

a．開店前の短い時間の中で開店準備の仕事を完了させるためには、 86 が大切である。

　ア．シフトに関係なくスタッフ全員が出勤して作業すること

　イ．余裕をもって出勤すること

b．レジの開設はマニュアルにそって行い、釣り銭は 87 入れる。

　ア．種類を分けずに適当に

　イ．種類別に確認してお札の向きを揃えて

c．開店前の主な仕事は、 88 、商品整理である。

　ア．棚卸とレジの清算

　イ．レジの開設と清掃

d．営業時間中の商品整理では、 89

　ア．お客様がいるタイミングでも速やかに行う。

　イ．お客様がその場を離れてからさりげなく行う。

e．開店前の商品整理では、 90 、取り出しやすいように商品を整える。

　ア．お客様が見やすく

　イ．スタッフが接客しやすく

問19　下記a〜eは、売場でのお客様への対応に関する文章です。　　　　　の中にあ
　　　てはまる言葉を、語群（ア〜ク）から選び、解答番号の記号をマークしなさい。

a．販売スタッフの仕事は、お客様が入りやすく、心地良く過ごせるなどの 91 づくり
　　が大切である。

b．釣り銭をお渡しする際は、お札の向きを揃えてお客様に分かりやすいように 92 の
　　上に置くのが正式である。

c．スカートやパンツを試着したお客様が裾の丈詰めを希望された場合は、 93 をして
　　お直しを承る。

d．接客では、商品説明に納得して購入、 94 していただくことが大切である。

e．試着を勧めるタイミングは、 95 についての質問が多いときなどがよい。

ア	返品	イ	環境	ウ	満足	エ	採寸
オ	セール	カ	手	キ	カルトン	ク	サイズ

問20　下記 a ～ e は、備品管理に関する文章です。 _____ の中にあてはまる言葉を、語群（ア～ク）から選び、解答番号の記号をマークしなさい。

a．営業に必要な事務用品や備品の 96 を確認し、必要なときに切らさない。

b．４Ｓとは、整理・整頓・ 97 ・清潔のことで、「ヨンエス」と呼ぶ。

c． 98 を作成し、定期的に確認する。

d．備品が 99 した場合は速やかに発注をする。

e．レジ用品、事務用品、包装資材、紙袋などの 100 がレジ周りに散乱しないように４Ｓを徹底する。

ア	発注表	イ	清掃	ウ	備品チェックリスト	エ	不足
オ	位置	カ	種類	キ	在庫	ク	備品

問21　下記a～eは、商品管理に関する文章です。□□□の中にあてはまる言葉を、語群（ア～ク）から選び、解答番号の記号をマークしなさい。

a．納品されたダンボールを開ける際、　101　は商品を傷つける恐れがあるので使用しない。

b．ダンボールから商品を取り出したら、　102　と照合する。

c．店頭出しする商品は、　103　を輸送用のものから陳列用のものに替える。

d．　104　を並べることで売り場の魅力がアップする。

e．店頭にお客様の欲しい色やサイズなどがない場合、お客様の依頼でメーカーや本部、他店に商品を発注することを　105　という。

ア	在庫	イ	ハンギング	ウ	請求書	エ	客注
オ	ハンガー	カ	納品伝票	キ	カッター	ク	新しい商品

問22　下記a～dは、店舗計数に関する文章です。□□□の中にあてはまる言葉を、語群（ア～ク）から選び、解答番号の記号をマークしなさい。

a．店舗で行う計数管理で、一番把握すべき計数は、| 106 |とそれに対する| 107 |である。

b．設定した予算に対して、売り上げの達成率を見ることを| 108 |という。

c．実際に買い物をしたお客様の比率を、| 109 |という。

d．購入客1人当たりの売り上げ総数のことを| 110 |という。

ア	合計金額	イ	予算対比	ウ	買い上げ率	エ	前年対比
オ	予算	カ	客単価	キ	セット率	ク	売上高

問23 下記a～eは、キャリアプラン（店舗側の職種）に関する文章です。正しいも
のには、解答番号の記号アを、誤っているものには記号イをマークしなさい。

a．販売職はファッション関連のほとんどの職種の土台になっている。 　　[111]

b．販売スタッフの業務は、店頭の第一線で接客に専念するだけでよい。 　[112]

c．店長は店舗の責任者であるため、販売管理や商品管理、予算管理、顧客管理、販売スタ
　　ッフ育成などの、すべてをマネジメントする必要はない。 　　　　　　[113]

d．エリアマネジャーとは、決まったエリアの統括責任者のことで、ブロック長、地区長、
　　支部長と呼ぶこともある。 　　　　　　　　　　　　　　　　　　　　[114]

e．店長代理（サブ）は、店長不在時に店長の代行業務を行い、店長がエリアマネジャーを
　　兼業している場合は実質的なマネジメントも求められる。 　　　　　　[115]

問24　下記a〜eは、キャリアプラン（店舗、本部側　に関連する職種）に関する
　　　文章です。□□□□の中にあてはまる言葉を、それぞれの（ア・イ）から選び、
　　　解答番号の記号をマークしなさい。

a.　□116□とは、店舗のレイアウトやゾーニング計画などを行う専門職である。
　　ア．ビジュアルマーチャンダイザー
　　イ．セールスインストラクター

b.　□117□とは、予算を持ってショールームや展示会を回り、買い付けをする仕入れ担当
　　者である。
　　ア．プレス
　　イ．バイヤー

c.　□118□とは、店舗のコンセプトや品ぞろえ計画立案から、全体の予算組みや利益・原
　　価計算までを行う担当者で、ブランドや小売店の司令塔の役割を担っている。
　　ア．デザイナー
　　イ．マーチャンダイザー

d.　□119□とは、店舗の立地、客層、面積、売上をもとに、店舗間の在庫を調整する。
　　ア．ディストリビューター
　　イ．エリアマネジャー

e.　□120□とは、商品を専門店に卸したり、新規取引先を開拓することが仕事で、受注後
　　の商品手配や発送、取引先を訪問して売り上げ動向のチェックまで行う。
　　ア．ファッションディレクター
　　イ．営業担当

問25　下記a〜eは、キャリアプラン（本部・本社側の職種）に関する文章です。
　　　　[　　　]の中にあてはまる言葉を、語群（ア〜ク）から選び、解答番号の記号
　　　　をマークしなさい。

a．プレスとは、ファッション誌やテレビなどのマスコミ媒体、ファッションスタイリスト
　　へ衣装提供など [121] に関わる担当者である。

b．生産管理とは、工場に発注する際に進捗状況管理を行い、[122] を防止する担当者で
　　ある。

c．パタンナーとは、デザインをイメージ通りの [123] で立体的に仕上げるために、型紙
　　を起こす担当者である。

d．デザイナーとは、MDテーマやシーズンディレクションによって決められた型数のデ
　　ザインを考えることが仕事で、大規模なメーカーでは [124] のデザイナーが所属して
　　いる。

e．ファッションディレクターとは、[125] などを通してマーケット予測をして、ファッ
　　ションの指示書の作成、商品のプランニング全般にかかわる。

ア	発注表	イ	市場調査	ウ	営業	エ	複数
オ	納期遅れ	カ	カラー	キ	シルエット	ク	広報

問26　下記 a ～ e は、キャリアプラン（自己啓発）に関する文章です。正しいもの
　　　には、解答番号の記号アを、誤っているものには記号イをマークしなさい。

a．業界の新聞や雑誌は定期購読せず、ＳＮＳのみでファッション販売に必要な知識を効率
　　よく学ぶ。 　126

b．ファッショントレンドセミナーなどの短期セミナーに参加をして外部の情報を積極的に
　　得る。 　127

c．出店している商業施設が主催しているセミナーには、自店舗の情報が外に出ないように
　　なるべく参加はしない。 　128

d．海外からのお客様が多い店舗では、お客様との円滑なコミュニケーションが取れるよう
　　に語学を学ぶ。 　129

e．分からない用語があっても調べることはせず、自分の知っている言葉だけでセールスト
　　ークをする。 　130

第49回

ファッション販売能力検定

3級〔B科目〕

実 施 日	2023年7月8日（土）
試験時間	11：10 〜 12：40

注意事項 ［答案用紙（マークシート）は、絶対に折り曲げないこと］

1. 試験開始まで、この問題冊子を開いてはいけません。
2. 試験開始の合図があってから、試験問題のページが順番になっているかを確認すること。
   試験問題のページが抜けていたり、印刷が不鮮明である場合は、その場で手をあげ、試験係員に試験問題のとりかえを申し出ること。
3. 答案用紙のマークの仕方に注意すること。
4. 答案用紙の注意事項を読み、枠内の所定の欄に次のことを注意して記入すること。
   - a）氏名、学校名または企業・団体名を記入すること。個人受験者は、試験会場名を記入すること。
   - b）受験科目の欄の《ファッション販売能力検定》の「3級（B科目）」をマークすること。
   - c）受験地・会場・受験番号は、受験票を確認しながら正確に記入・マークすること。
5. 解答は、問番号の数字と同一の解答欄のア〜クまでのマークを、問の指示に従って、鉛筆またはシャープペンシル（HB）でぬりつぶすこと。
6. 試験中、質問があるときは黙って手をあげること。ただし、試験問題の内容に関する質問は受けません。
7. 試験開始後の30分間は退場できません。それ以後、終了時間前に解答が終了した人は黙って手をあげ、試験係員の指示に従って退場すること。
   再入場および試験終了5分前からの退場はできません。
8. 受験者間の筆記用具の貸し借りは禁止します。参考書等は机の上、机の中に置くことを禁止します。
9. 携帯電話の電源は切り、鞄の中にしまっておくこと。
10. 終了時刻になったら筆記用具を置き、着席のまま試験係員の指示に従うこと。
11. 合否通知は、2023年8月下旬頃に通知します。

一般財団法人　日本ファッション教育振興協会

問1　下記a～cは、販売スタッフの基本マナー（あいさつ・お辞儀）に関する文章です。　　　　の中にあてはまる言葉・数値を、語群・数値群（ア～ク）から選び、解答番号の記号をマークしなさい。

a．職場での出退社は、「おはようございます」「お疲れさまです」などとあいさつする。お辞儀は上半身を　1　度傾斜させた　2　で行う。

b．混雑している店内で、やむを得ずお客様の前を通らなければならないときは、「前を失礼いたします」と　3　をして静かに通り過ぎる。

c．　4　はお買上いただいたお客様を、最後にお見送りするときに使う。感謝の気持ちをこめて、上半身を　5　度傾斜させたお辞儀であいさつする。

| ア | 敬礼 | イ | 15 | ウ | 同時礼 | エ | 30 |
| オ | 45 | カ | 最敬礼 | キ | 会釈 | ク | 40 |

問2　下記a～eは、販売スタッフの基本マナー（身だしなみ・動作）に関する文章
　　　です。正しいものには解答番号の記号アを、誤っているものには記号イをマー
　　　クしなさい。

a．販売スタッフの身だしなみは、すべてのお客様に快い印象をもってもらうために「清潔
　　感がある」「個性がある」「機能的である」ことが挙げられる。　　　　　　　　6

b．販売スタッフはお客様と接するとき、特に笑顔の表情が重要であると同時に、アイコン
　　タクトをとることで、お客様に安心感を与えたり心を開かせたりする。　　　　7

c．商品を指したり目的の場所へご案内をするとき、5本の指は揃えて手のひら全体で方向
　　を示す。このとき、視線はお客様の目を見るようにする。　　　　　　　　　8

d．商品や金銭トレーの受け渡しなどは、必ず両手を使うようにする。やむを得えない場合
　　は、「片手で失礼いたします」と一言添える。　　　　　　　　　　　　　　9

e．お客様がいないときは、カウンターに寄り掛かり休んでもよいが、入店したら姿勢を正
　　してお客様優先の行動をとる。　　　　　　　　　　　　　　　　　　　10

問3　下記a～eは、販売スタッフの基本マナー（接客の言葉づかい）に関する文章
　　　です。それぞれの設問に該当する解答を、それぞれの（ア・イ）から選び、解
　　　答番号の記号をマークしなさい。

a.　　11

　　ア.「お聞きになりたいことがございましたら、遠慮なくお尋ねください」

　　イ.「お伺いしたいことがあれば、遠慮なくお聞きください」

b.　　12

　　ア.「ただ今このキャンペーン中にお買上になられますと、大変お得です」

　　イ.「ただ今このキャンペーン中にお求めになりますと、大変お得です」

c.　　13

　　ア.「衿の形が少し違うこちらの商品も拝見になってみてください」

　　イ.「衿の形が少し違うこちらの商品もご覧ください」

d.　　14

　　ア.「こちらがMサイズでございます」

　　イ.「こちらがMサイズとなっております」

e.　　15

　　ア.「ありがとうございます。また参られるのをお待ちしています」

　　イ.「ありがとうございます。またのお越しをお待ちしています」

問4　下記a～eは、販売スタッフの基本マナー（接客の言葉づかい）に関する文章
　　　です。それぞれの設問に該当する解答を、それぞれの（ア・イ）から選び、解
　　　答番号の記号をマークしなさい。

a．お客様に伝票の記入をお願いしたいとき。

　　「　16　（ア．恐縮しますが　イ．恐れ入りますが）こちらにサインをお願いいたし
　　ます」

b．お客様の要望に沿えないとき。

　　「　17　（ア．あいにく　イ．折よく）ご希望の色が切れてしまいまして、来週の入
　　荷予定となります」

c．お客様の名前を聞きたいとき。

　　「　18　（ア．お差し支えなければ　イ．不都合がなければ）お名前を伺ってもよろ
　　しいでしょうか？」

d．お客様にご来店いただきたいとき。

　　「大変　19　（ア．ご苦労　イ．ご足労）をおかけいたしますが、当店までご来店い
　　ただけますでしょうか？」

e．お客様に試着を薦めるとき。

　　「　20　（ア．よろしければ　イ．大丈夫であれば）ご試着なさってみてください」

問5　下記a～eは、販売スタッフの基本マナー（電話応対）に関する文章です。正しいものには解答番号の記号アを、誤っているものには記号イをマークしなさい。

a．電話に出た人の第一声、応対の良し悪しが、会社や店のイメージを決定する。　21

b．電話が鳴ったらコールベル2回以内に受話器を取る。　22

c．通話中は通話料金のコスト意識をもち、20秒以上はお待たせしないようにする。
　23

d．情報や事実を正確に把握するために、社名や人名、場所などの普通名詞や数字、日時を間違えないように聞いたり伝えることが大切である。　24

e．目の前にお客様がいるつもりで、明るく丁寧な言葉づかいを心がけ、受話器はお客様が切ってから置くようにする。　25

問6　下記は、お客様と販売スタッフとの電話でのやり取りをあらわしたものです。
　　　　　　の中にあてはまる言葉を、それぞれの（ア・イ）から選び、解答番号
　　　の記号をマークしなさい。

販売スタッフ：「いつもありがとうございます。○○○店でございます」

お　客　様　：「あの…、○△□…」（お客様の声が小さい）

販売スタッフ：「申し訳ございません。　26　（ア．お声が小さい　イ．お電話が遠い）
　　　　　　　　ようですので、もう1度お願いいたします」

お　客　様　：「すみません。鈴木と申しますが、店長さんはいらっしゃいますか？」

販売スタッフ：「鈴木様ですね。いつも　27　（ア．お世話をかけております　イ．お世
　　　　　　　　話になっております）。ただ今　28　（ア．店長の山田　イ．山田店長）は
　　　　　　　　席を　29　（ア．外して　イ．立って）おりまして、2時に戻る予定です」

お　客　様　：「そうですか…」

販売スタッフ：「よろしければこちらからお電話するように　30　（ア．伝え　イ．申し
　　　　　　　　伝え）ましょうか？」

〈以下省略〉

問7　下記a～eは、購買心理プロセスに関する文章です。□□□の中にあてはまる言葉を、語群（ア～ク）から選び、解答番号の記号をマークしなさい。

a．「あっ、きれいな色！」「デザインがいいな！」と商品や店の雰囲気に目を留める段階。 31

b．「本当にこれでいいかな？」と迷いがある場合、販売スタッフに質問をして迷いを解消する段階。 32

c．特定の商品をじっくり見て、「持っているあの服に合うかな？」とコーディネートを考える段階。 33

d．「この素材は何だろう？」「やっぱりこのデザインの方がいいかな？」と気になる商品を前に立ち止まる段階。 34

e．商品にたびたび触れたり、じっと食い入るように見たりする段階。 35

| ア | 行動 | イ | 欲望 | ウ | 連想 | エ | 比較検討 |
| オ | 注意・注目 | カ | 満足 | キ | 確信 | ク | 興味 |

問8　下記 a ～ e は、販売スタッフの待機～お薦めに関する文章です。正しいものに
　　　は解答番号の記号アを、誤っているものには記号イをマークしなさい。

a．販売スタッフはお客様がいつ入店してもいいように、必ず店の入口で通路に向かって待
　　機をする。　　　　　　　　　　　　　　　　　　　　　　　　　　　　 36

b．待機中は商品の整理や補充などの作業を行い、お客様が入店されてから「いらっしゃい
　　ませ」とあいさつをする。　　　　　　　　　　　　　　　　　　　　 37

c．アプローチはお客様の真正面や真後ろに近づいて、返事をしやすいタイミングと言葉で
　　声をかけるとよい。　　　　　　　　　　　　　　　　　　　　　　　 38

d．お客様が探している商品を適切にお薦めするためには、要望する商品を聞き出したり考
　　えていることを推察して、ニーズを把握することが大切である。　　　 39

e．お客様に商品の提案・お薦めをするときには、専門用語を避けながら、多くの商品知識
　　やメリットだけを伝える。　　　　　　　　　　　　　　　　　　　　 40

問9　下記は、お客様と販売スタッフとの会話文です。 ____ の中にあてはまる言葉を、それぞれの（ア〜ウ）から選び、解答番号の記号をマークしなさい。

お　客　様　：「すみません。このパンツを試着したいのですが」

販売スタッフ：「かしこまりました。パンツ1点でサイズや **41** （**ア**．ポケット　**イ**．色　**ウ**．とめ具）はこちらでよろしいでしょうか？」

お　客　様　：「はい」

〈販売スタッフはパンツをお預かりし、お客様の **42** （**ア**．斜め前　**イ**．真横　**ウ**．斜め後ろ）を歩いて試着室まで誘導する〉

販売スタッフ：「お待たせいたしました。こちらへどうぞ」

〈お客様が試着室に入ったら **43** （**ア**．しつけとタグ　**イ**．ファスナーやボタン　**ウ**．品質やサイズ表示）をはずして、パンツを両手で渡す〉

販売スタッフ：「ごゆっくりどうぞ」

〈販売スタッフは試着室のドアを閉めてお客様の靴を揃えたら、 **44** （**ア**．ドアの前でじっと待つ　**イ**．他のスタッフへ引き継ぐ　**ウ**．コーディネート商品の準備をする）〉

〈お客様が試着室から出てきたら、店内の鏡の前まで誘導する〉

販売スタッフ：「お疲れさまです。 **45** （**ア**．お似合いですね　**イ**．いかがですか？　**ウ**．お決まりですか？」

〈以下省略〉

問10 下記a〜dは、お見送り（商品のお渡し）に関する文章です。 ＿＿＿の中に
あてはまる言葉を、それぞれの（ア・イ）から選び、解答番号の記号をマー
クしなさい。

a．お買上品の包装をするときは、お客様の $\boxed{46}$ （ア．表情 イ．持ち物）を見て、荷
物をまとめる配慮をするとよい。

b．お買上品のお渡しは、ショッピングバッグの持ち手の $\boxed{47}$ （ア．上方 イ．端）と
底を持って、お客様が受け取りやすい $\boxed{48}$ （ア．早さ イ．高さ）で差し出す。

c．お客様をお見送りする場所は、店内やレジの $\boxed{49}$ （ア．混雑 イ．混乱）度合いや、
お買上品（荷物）の大きさなどの状況によって、柔軟に対応する。

d．お見送りをした後でお客様が振り返るときもあるので、$\boxed{50}$ （ア．少しだけ イ．姿
が見えなくなるまでずっと）その場に留まるようにする。

問11　下記a〜eは、ラッピングに関する文章です。　　　　　の中にあてはまる言葉を、それぞれの（ア・イ）から選び、解答番号の記号をマークしなさい。

a．ギフト用ラッピングを希望するお客様には　　　　　51

　ア．商品価値を高め、もらったときに嬉しいと感じる豪華なラッピングをする。

　イ．ギフトの目的やお渡し方法など、お客様の要望に沿ったラッピングをする。

b．ギフトラッピングをする前に　　　　　52

　ア．傷や汚れがないかよく調べ、価格は必ず外す。

　イ．傷や汚れがないかよく調べ、価格はお客様が要望したら外す。

c．ラッピングをするときは　　　　　53

　ア．箱のサイズより大きい包装紙を選び、セロテープを多めに貼って四隅がずれないように包む。

　イ．箱のサイズに合った包装紙を選び、正しい位置に箱を置いて包み始める。

d．ブラウスなど薄い箱に入れてラッピングするときは　　　　　54

　ア．箱を回転させながら丈夫に包める斜め（デパート）包みが適している。

　イ．初心者でも容易に包める合わせ（キャラメル）包みが適している。

e．透明の箱にリボン掛けをするときは　　　　　55

　ア．中の商品がすっきりと見えるように斜め掛けがよい。

　イ．中の商品がすっきりと見えるように十字掛けがよい。

問12　下記 a ～ e は、贈答マナーに関する文章です。正しいものには解答番号の記
　　　号アを、誤っているものには記号イをマークしなさい。

ａ．熨斗目とは慶事において贈答品に添える飾りである。　　　　　　| 56 |

ｂ．結婚祝いの水引きは、結び切りを用いるのがマナーである。　　　| 57 |

ｃ．のし紙の表書きの下段には、贈る人の名前を書く。　　　　　　　| 58 |

ｄ．結婚祝いのお返しの表書きは「志」と書く。　　　　　　　　　　| 59 |

ｅ．水引の色は赤白、黒白の２種類である。　　　　　　　　　　　　| 60 |

問13　下記は、店舗の環境作りに関する文章です。□□□の中にあてはまる言葉を、それぞれの（ア・イ）から選び、解答番号の記号をマークしなさい。

　　店舗はモノとコトで成り立っている。いわばモノとコトの　61　（ア．財布　イ．器）である。しかし、ただの入れ物ではない。

　　販売政策や品揃え、売り方など、店が店であるための　62　（ア．心　イ．見た目）、つまり　63　（ア．イメージ　イ．商売の魂）が入っていてこそ機能する。

　　店が成り立っていくための　64　（ア．ショップコンセプト　イ．ショップマーチャンダイジング）と、それをもとにした　65　（ア．ショップイメージ　イ．ショップアイデンティティー）を持つということである。

問14　下記a〜eは、売り場におけるビジュアルマーチャンダイジングに関する問題です。□□□□の中にあてはまる言葉を、それぞれの（ア〜ウ）から選び、解答番号の記号をマークしなさい。

a．売り場の最も広いスペースに展開する「売る場」　　　　　　　　　66
　　ア．ビジュアルプレゼンテーション
　　イ．ポイント・オブ・セールスプレゼンテーション
　　ウ．アイテムプレゼンテーション

b．店頭のショーウインドーやメインステージで展開する「見せ場」　　67
　　ア．ビジュアルプレゼンテーション
　　イ．ポイント・オブ・セールスプレゼンテーション
　　ウ．アイテムプレゼンテーション

c．売り場内のラックエンド、コーナーステージなどで展開する「提案の場」　68
　　ア．ビジュアルプレゼンテーション
　　イ．ポイント・オブ・セールスプレゼンテーション
　　ウ．アイテムプレゼンテーション

d．店のメッセージや話題の商品などを注目度の高い演出で訴求する場　69
　　ア．ビジュアルプレゼンテーション
　　イ．ポイント・オブ・セールスプレゼンテーション
　　ウ．アイテムプレゼンテーション

e．代表的なアイテムなどをセレクトして、テイストや配色を考えた魅力的なコーディネートを提案する場　　　　　　　　　　　　　　　　　70
　　ア．ビジュアルプレゼンテーション
　　イ．ポイント・オブ・セールスプレゼンテーション
　　ウ．アイテムプレゼンテーション

問15　下記は、ＳＩと店頭の演出に関する文章です。□□□の中にあてはまる言葉を、それぞれの（ア・イ）から選び、解答番号の記号をマークしなさい。

　ＳＩは店独自の主体性を持っていることが重要であり、唯一無二のものである。ＳＩは誰にでもよく分かるように、店のメッセージをショップイメージとして　71　（ア．視覚化　イ．擬人化）することが大切である。このショップイメージを表す代表例として、　72　（ア．バックヤード　イ．ファサード）の演出や看板・サインなどが挙げられる。

　店頭演出の代表的な場として　73　（ア．ショーウインドー　イ．フィッティングルーム）がある。どういう店かを判断する第一印象に重要な役割を果たす。

　また、店頭ではお客様を歓迎する「いらっしゃいませ」という気持ちを季節の植栽や演出物などで表現する　74　（ア．ハロープレゼンテーション　イ．ウェルカムプレゼンテーション）がなされていると、好印象で良い店というイメージを持ってもらうことにつながる。

　一方で、店のイメージを直接感じられるのは、店名が書かれている看板やサインである。最近では　75　（ア．デジタルタブレット　イ．デジタルサイネージ）の活用も増えてきている。

問16　下記a〜eは、マネキンの種類に関する問題です。それぞれにあてはまる言葉を、語群（ア〜ク）から選び、解答番号の記号をマークしなさい。

a．頭部がギリシャ彫刻のようなマネキン　　　　　　　　　　　76

b．動きを自由に表現できるマネキン　　　　　　　　　　　　77

c．人間そっくりに作られたマネキン　　　　　　　　　　　　78

d．抽象的な顔、体形のマネキン　　　　　　　　　　　　　　79

e．頭部のないマネキン　　　　　　　　　　　　　　　　　　80

ア	ヒューマン マネキン	イ	フリーマネキン	ウ	スカルプチャー マネキン	エ	ヘッドレス マネキン
オ	コンストラクト マネキン	カ	アブストラクト マネキン	キ	リアルマネキン	ク	フレキシブル マネキン

問17 下記a～eは、服飾雑貨のたたみ方や結び方の図です。それぞれにあてはまるものを、語群（ア～ク）から選び、解答番号の記号をマークしなさい。

a. 81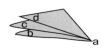

aを人差し指で押さえておく

b. 82

c. 83

d. 84

e. 85

ア	スリースクウェア	イ	プレーンノット	ウ	ピエロ結び	エ	リボン結び
オ	アコーディオン結び	カ	ウィンザーノット	キ	スリーピークス	ク	セミウィンザーノット

問18　下記a～eは、マーチャンダイジングプレゼンテーション技法に関する問題
　　　です。それぞれにあてはまる言葉を、語群（ア～ク）から選び、解答番号の
　　　記号をマークしなさい。

a. テーブルや棚上に服や靴などとコーディネートして、着装感をイメージして横たえるよ
　うに展開する技法　　　　　　　　　　　　　　　　　　　　　　　　　86

b. トルソーや各種スタンドを使って、立てて構成する技法　　　　　　　　87

c. 裁断しないままの生地を使ってドレスなどを即興でデザインしながら仕上げていく技法
　　　　　　　　　　　　　　　　　　　　　　　　　　　　　　　　　88

d. 服や袋物、バッグなどで詰め物をし、立体的に演出する技法　　　　　　89

e. 服のサイズが着せつけようとするマネキンやトルソーより大きい場合、後見頃の脇2か
　所をクリップで留めたりして形を整える技法　　　　　　　　　　　　90

| ア | パディング | イ | フォーミング | ウ | フライング | エ | ピンワーク |
| オ | レイダウン | カ | ピンナップ | キ | スタンディング | ク | レイアウト |

問19　下記のa～eは、アパレルのアイテム分類です。正しいものには解答番号の
　　　記号アを、誤っているものには記号イをマークしなさい。

a．用途分類　　　　　　　　　　　　　　　　　　　　　　　　91
　　カクテルドレス、ポロシャツ、マタニティードレス、ライダースジャケット、スイムウ
　　ェア、チロリアンジャケット、カーゴパンツ

b．素材分類　　　　　　　　　　　　　　　　　　　　　　　　92
　　デニムジャケット、レザーパンツ、ダウンコート、ジャカードセーター、シルクキャミ
　　ソール、キルティングスカート、ツイードジャケット

c．シルエット分類　　　　　　　　　　　　　　　　　　　　　93
　　マーメイドスカート、ワイドパンツ、テーパードパンツ、ボックスジャケット、エンパ
　　イアドレス、エスカルゴスカート、プリンセスコート

d．ディテール分類　　　　　　　　　　　　　　　　　　　　94
　　ボータイブラウス、ゴアードスカート、カシュクールブラウス、シャツワンピース、カ
　　ウチンニット、カラーレスジャケット、ジップアップパーカ

e．加工による分類　　　　　　　　　　　　　　　　　　　　95
　　形態安定シャツ、ボンディングスカート、段ボールニット、タイダイスウェットパーカ
　　ー、ドッキングワンピース、フロッキーブラウス、ダメージジーンズ

問20　下記a～eは、インナーウェアに関する文章です。それぞれの設問に該当する解答を、それぞれの（ア・イ）から選び、解答番号の記号をマークしなさい。

a．Tシャツの下につけるブラジャーは、（**ア**．編み立て成型タイプ　**イ**．モールド成型タイプ）のほうが、Tシャツに響かず、バストラインをよりきれいに見せる。　96

b．ベアトップやワンショルダーのトップスやドレスを着用する際に合わせるブラジャーは、（**ア**．チューブタイプ　**イ**．ホルターネックタイプ）がよい。　97

c．補正機能が高い下着は、（**ア**．スリーインワン　**イ**．ボディスーツ）である。　98

d．インナーウェアの洗濯の基本は、（**ア**．ネットに入れて洗濯　**イ**．手洗い）をする。　99

e．インナーウェアを洗濯後に干すときには、（**ア**．陰干し　**イ**．室内干し）するほうがよい。　100

問21　下記a～eは、ヘアアクセサリーに関する文章です。正しいものには、解答
　　　番号の記号アを、誤っているものには記号イをマークしなさい。

a．カチューシャは、大正末期にトルストイの「復活」を日本で舞台化した時、女優松井須
　　磨子が演じた主人公の名前からとられた。　　　　　　　　　　　101

b．カチュームは、カチューシャの後ろ部分がゴムになっているものである。　102

c．バナナクリップは夜会巻きをするとき、簡単に髪をまとめることができる。　103

d．ヘアバンドは、男性のスポーツ選手もしている。　　　　　　　104

e．バレッタは髪留めのことで、パリのオペラ座のバレリーナが髪をまとめる時に付けたこ
　　とが由来である。　　　　　　　　　　　　　　　　　　105

問22　下記 a ～ e は、シルエットに関する文章です。それぞれの文章にあてはまる
　　　言葉を、それぞれの（ア～ウ）から選び、解答番号の記号をマークしなさい。

a．以下のシルエットの中で王族が着用したドレスが<u>由来ではない</u>シルエットをひとつ選び
　　なさい。　　　　　　　　　　　　　　　　　　　　　　　　　　　　　106
　　ア．プリンセスライン
　　イ．マーメイドライン
　　ウ．エンパイヤライン

b．2023年 5 月28日まで東京都現代美術館で「夢のクチュリエ」展を開催していた、クリス
　　チャン・ディオールが<u>発表していない</u>シルエットを選びなさい。　　107
　　ア．Aライン
　　イ．Xライン
　　ウ．Yライン

c．2023年春夏に復活した、80年代に流行したシルエットを選びなさい。　　108
　　ア．チューリップライン
　　イ．コクーンライン
　　ウ．バルーンライン

d．チュニックラインの説明で正しいものを選びなさい。　　　　　　　　109
　　ア．チュニックとは丈が長めの上着を指す。
　　イ．チュニックの場合は、必ずボトムスを着用する。
　　ウ．チュニックラインはストレートラインと同じである。

e．アローラインは別名何ラインと言われるか、選びなさい。　　　　　　110
　　ア．Fライン
　　イ．Hライン
　　ウ．Iライン

問23　下記 a〜e は、2023年春夏トレンドのアイテムに関する問題です。それぞ
　　　れのアイテムに該当する解答を、それぞれの（ア・イ）から選び、解答番号
　　　の記号をマークしなさい。

a．カーゴパンツのポケット　　　　　　　　　　　　　　　　　111

　　ア．パッチポケット

　　イ．アコーディオンポケット

b．クロシェニット　　　　　　　　　　　　　　　　　　　　112

　　ア．かぎ針ニット

　　イ．棒針ニット

c．ジャンパースカート　　　　　　　　　　　　　　　　　　113

　　ア．中にトップスを合わせる

　　イ．中に着なくてもOK

d．ジレ　　　　　　　　　　　　　　　　　　　　　　　　　114

　　ア．前開きでボタン付き

　　イ．ポケットや衿付き

e．デニムパンツ　　　　　　　　　　　　　　　　　　　　　115

　　ア．スキニーパンツ

　　イ．ワイドパンツ

問24　下記a～eは、袖の丈や形状に関する文章です。 　　　　 の中にあてはまる言葉を、それぞれの語群（ア～ウ）から選び、解答番号の記号をマークしなさい。

a．ブラウスのパフスリーブは、ふくらんだ袖を指す。長袖の場合は、 116 スリーブと呼ばれる。

b．オーバーサイズのジャケットは、肩の下がった袖、 117 スリーブで、腕が動かしやすい。

c．袖なしのことを、英語では 118 と呼ばれる。

d．5分袖は、肘までの長さの袖で、英語で 119 という。

e．7分袖は5分袖と長袖の中間の長さの袖で、英語で 120 という。

116の語群	ア	ランタンスリーブ	イ	エンジェルスリーブ	ウ	ビショップスリーブ
117の数群	ア	ドロップド	イ	セットイン	ウ	エポーレット
118の語群	ア	フレンチスリーブ	イ	スリーブレス	ウ	ノースリーブ
119の語群	ア	ショートスリーブ	イ	エルボーレングススリーブ	ウ	リストレングススリーブ
120の語群	ア	スリークオータースリーブ	イ	ウイングスリーブ	ウ	セットインスリーブ

問25　下記は、洋服の柄についての文章です。￣￣￣￣￣の中にあてはまる言葉を、語群（ア～ク）から選び、解答番号の記号をマークしなさい。

　夏らしいチェック柄として、ギンガムチェックが人気である。白地に青や黒のチェックだけでなく、| 121 |のチェックや衿や丈のデザインにより、大人っぽく着こなせる。| 122 |チェックはインドの南東部で織られる綿織物によく使われる格子柄でカラフルな色が特徴である。

　今年らしい花柄として、大きな花柄、| 123 |の花柄、| 124 |を用いた立体的な花柄が新しさを感じる。

　縦縞も横縞も英語では| 125 |と呼ぶ。コントラストのはっきりしたものよりもベージュなど中間色の縦縞がコーディネートしやすい。

ア	刺繍	イ	ボンベイ	ウ	中間色	エ	ボーダー
オ	グラデーション	カ	アップリケ	キ	マドラス	ク	ストライプ

問26　下記a〜eは、カラーに関する問題です。それぞれの設問に該当する解答を、
　　　語群（ア〜ク）から選び、解答番号の記号をマークしなさい。

a．純色と同じような意味を持つ言葉　　　　　　　　　　　　　　126

b．明清色と同じような意味を持つ言葉　　　　　　　　　　　　127

c．色光の三原色（光源色）　　　　　　　　　　　　　　　　　128

d．色料の三原色（物体色）　　　　　　　　　　　　　　　　　129

e．中性色　　　　　　　　　　　　　　　　　　　　　　　　　130

ア	赤、橙、黄	イ	濁色	ウ	パステルカラー	エ	赤、黄、青
オ	ミュートカラー	カ	緑、紫	キ	赤、青、緑	ク	原色

問27　下記 a～e は、配色のテクニックに関する文章です。正しいものには解答番号の記号のアを、誤っているものには記号イをマークしなさい。

a．グラデーションは、色相環で並んだ色を順に並べる技術で、虹の色の順に並べることを指す。 131

b．ベースカラーは基調となる色で一番大きな面積を占め、全体のイメージをつくる。 132

c．アクセントカラーは、二番目に面積の大きな色で、ベースカラーに組み合わせる色のことである。 133

d．類似の色でまとまっているコーディネートや陳列の場合、無彩色やメタルカラーをその間に入れて、コントラストを調整するとよい。 134

e．対照の配色では、反対色や補色との配色はきわだち感のある配色となる。 135

問28　下記a～eは、アパレル素材の種類に関する問題です。それぞれの設問に該当する解答を、それぞれの（ア～ウ）から選び、解答番号の記号をマークしなさい。

a．次の中から、再生繊維を選びなさい。　　　　　　　　　　　　136
　　ア．アンゴラ
　　イ．キュプラ
　　ウ．ナイロン

b．次の中から、合成繊維を選びなさい。　　　　　　　　　　　　137
　　ア．アクリル
　　イ．テンセル
　　ウ．プロミックス

c．次の中から、半合成繊維を選びなさい。　　　　　　　　　　　138
　　ア．レーヨン
　　イ．ポリエステル
　　ウ．アセテート

d．次の中から、植物繊維を選びなさい。　　　　　　　　　　　　139
　　ア．カシミヤ
　　イ．ラミー
　　ウ．アンゴラ

e．次の中から、動物繊維を選びなさい。　　　　　　　　　　　　140
　　ア．リネン
　　イ．ケナフ
　　ウ．シルク

問29　下記a～eは、生地の加工方法に関する文章です。それぞれの文章にあてはまるものを、語群（ア～ク）から選び、解答番号の記号をマークしなさい。

a．ゴム、ビニール、ラッカーなどの化学樹脂を塗布し、皮膜を作る加工。 　141

b．綿やレーヨンと合成繊維などの混用布に酸性薬品をプリントし、水洗いして、透かし模様をつくる加工。 　142

c．綿やレーヨンなどが苛性ソーダで収縮する性質を利用して凹凸やしぼを出す加工。 　143

d．模様を彫刻した2本の金属ロールに布を挟んで圧力をかけ、模様をつける加工。 　144

e．ウール素材のズボンの折り目やスカートのプリーツに加工液を浸み込ませプレスして折り目に耐久性をつける加工。 　145

ア	エンボス加工	イ	シロセット加工	ウ	フロッキー加工	エ	オパール加工
オ	コーティング加工	カ	ワッシャー加工	キ	リップル加工	ク	ボンディング加工

問30 下記a～eは、デニムの加工方法に関する文章です。それぞれの文章にあて
はまるものを、語群（ア～ク）から選び、解答番号の記号をマークしなさい。

a．軽石などに酸化剤を浸み込ませて洗う。デニムの色落ちを促し、使いこんだ雰囲気をだ
す加工。 146

b．砂ややすりなどを使い、色落ちを主体に自然に着古したように見せる加工。 147

c．デニムの柔らかさや色落ちの加減を調節するため、軽石やセラミックと一緒に洗濯する
加工。 148

d．エアコンプレッサーで砂やアルミナなどの粒子を吹きつけ、生地表面の一部を削り取る
ことで、使い込んだイメージをつくる加工。 149

e．ダメージ後を修復し、ステッチを加える、他の素材を加えるなどの加工。 150

| ア | クラシック加工 | イ | リメーク加工 | ウ | ブラスト加工 | エ | ケミカル ウォッシュ |
| オ | ストーン ウォッシュ | カ | 防縮加工 | キ | ユーズド加工 | ク | リユース加工 |

問31 下記a～eは、ボタンの形状に関する文章です。それぞれの文章にあてはまるものを、語群（ア～ク）から選び、解答番号の記号をマークしなさい。

a．表にボタン穴がなく、裏の横穴を糸で縫い留める形式のボタン。 151

b．水牛の角、紡錘形や浮きの形、ウィンナー形などのとめ具で、ループに掛けて用いる。 152

c．一般的なボタンで、シャツ、スーツ、コートなどに使われる。2つ穴と4つ穴が大半だが、3つ穴もある。 153

d．コートなどで力のかかる箇所を補強する目的の、裏についた小さなボタン。 154

e．金属ボタンなどに多くみられる、柄のついたボタン。 155

ア	力ボタン	イ	くるみボタン	ウ	平ボタン	エ	スナップボタン
オ	マーブルボタン	カ	リングボタン	キ	シャンクボタン	ク	トグルボタン

問32　下記 a ～ e は、サイズ知識に関する文章です。正しいものには解答番号の記号アを、誤っているものには記号イをマークしなさい。

a．成人女子用衣料品のサイズでB体型とはA体型よりもヒップが4cm大きい人の体型である。　　　　　　　　　　　　　　　　　　　　　　　　　 156

b．特定衣料寸法とは人体の基本寸法を表示したものである。　　　 157

c．JISとは「Japan Industrial Size」の略称である。　　　 158

d．靴のサイズは足長、足囲で規定している。　　　　　　　　　　 159

e．衣料品のJIS表記ではフィット性を必要とするものには体型区分表示、必要としないものには範囲表示が使われる。　　　　　　　　　　　　　　　 160

問33　下図a〜eは、品質表示に関する問題です。それぞれにあてはまる説明文を、
　　　文章群（ア〜ク）から選び、解答番号の記号をマークしなさい。

a. 161　　　　　　　　b. 162　　　　　　　　c. 163

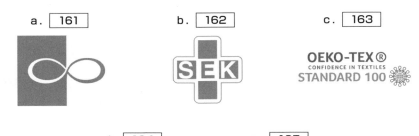

d. 164　　　　　　　e. 165

PURE NEW WOOL

ア	衣類品や、繊維二次製品の縫製と仕上がりが優れている商品に表示
イ	製品が新毛100％を使用し、決められた品質基準を満たしている表示
ウ	製品が新毛を30〜49.9％使用し、決められた品質基準を満たしている表示
エ	製造段階から廃棄まで、環境に配慮した製品であることを示した表示
オ	清潔・衛生・快適を表す機能性素材の表示
カ	エコテックス®国際共同団体が制定した、繊維製品の国際的な安全認証の表示
キ	紡績から縫製まで日本製で、綿100％製品につけられ、綿製品の需要拡大と品質向上のための表示
ク	日本国内で染色整理加工、織り・編み、縫製を行った国産のアパレル製品を「純国産品」として認める表示

問34　下記のa～eは、繊維製品の取り扱い絵表示記号です。それぞれあてはまる
　　　説明文を、それぞれの（ア～ウ）から選び、解答番号の記号にマークしなさい。

a.	（アイロン記号）	ア．底面温度110℃を限界としてアイロン仕上げができる イ．底面温度150℃を限界としてアイロン仕上げができる ウ．底面温度200℃を限界としてアイロン仕上げができる	166
b.	（60洗濯記号）	ア．液温は60℃を限界とし、洗濯機で洗濯ができる イ．液温は60℃を限界とし、洗濯機で弱い洗濯ができる ウ．液温は60℃を限界とし、洗濯機で非常に弱い洗濯ができる	167
c.	（タンブル乾燥記号）	ア．タンブル乾燥できない イ．低い温度でのタンブル乾燥ができる（排気温度上限60℃） ウ．タンブル乾燥ができる（排気温度上限80℃）	168
d.	（P記号）	ア．パークロロエチレン及び石油系溶剤による弱いドライクリーニングができる イ．石油系溶剤によるドライクリーニングができる ウ．石油系溶剤による弱いドライクリーニングができる	169
e.	（手洗い記号）	ア．液温は20℃を限界とし、手洗いができる イ．液温は30℃を限界とし、手洗いができる ウ．液温は40℃を限界とし、手洗いができる	170

第49回ファッション販売3級A科目

<正解答>

解答番号		解答	解答番号		解答	解答番号		解答	解答番号		解答
問1	1	オ	問8	36	イ	問15	71	イ	問22	106	オ
	2	エ		37	ア		72	キ		107	ク
	3	カ		38	イ		73	ウ		108	イ
	4	イ		39	イ		74	カ		109	ウ
	5	キ		40	ア		75	オ		110	キ
問2	6	ウ	問9	41	イ	問16	76	ア	問23	111	ア
	7	イ		42	ウ		77	ク		112	イ
	8	イ		43	ア		78	ウ		113	イ
	9	ウ		44	ウ		79	エ		114	ア
	10	ア		45	イ		80	カ		115	ア
問3	11	ウ	問10	46	イ	問17	81	イ	問24	116	ア
	12	キ		47	ア		82	イ		117	イ
	13	カ		48	ア		83	ウ		118	イ
	14	オ		49	イ		84	ウ		119	ア
	15	イ		50	イ		85	ア		120	イ
問4	16	イ	問11	51	オ	問18	86	イ	問25	121	ク
	17	ウ		52	イ		87	ア		122	オ
	18	ア		53	ア		88	イ		123	キ
	19	イ		54	エ		89	イ		124	エ
	20	ア・イ		55	キ		90	ア		125	イ
問5	21	イ	問12	56	キ	問19	91	イ	問26	126	イ
	22	ア		57	カ		92	キ		127	ア
	23	イ		58	ク		93	エ		128	イ
	24	ア		59	イ		94	ウ		129	ア
	25	ア		60	エ		95	ク		130	イ
問6	26	イ	問13	61	ア	問20	96	キ			
	27	ウ		62	イ		97	イ			
	28	ウ		63	イ		98	ウ			
	29	ア		64	ア		99	エ			
	30	イ		65	イ		100	ク			
問7	31	ア	問14	66	ア	問21	101	キ			
	32	イ		67	ア		102	カ			
	33	イ		68	イ		103	オ			
	34	ア		69	イ		104	ク			
	35	イ		70	ア		105	エ			

※問4の解答番号20はア、イどちらかを選択すれば正答とする。

第49回ファッション販売3級B科目

<＜正解答＞

解答番号	解答	解答番号	解答	解答番号	解答	解答番号	解答	解答番号	解答
問1 1	エ	問8 36	イ	問15 71	ア	問22 106	イ	問29 141	オ
2	ア	37	ア	72	イ	107	イ	142	エ
3	キ	38	イ	73	ア	108	ウ	143	キ
4	カ	39	ア	74	ア	109	ア	144	ア
5	オ	40	イ	75	イ	110	ア	145	イ
問2 6	イ	問9 41	イ	問16 76	ウ	問23 111	イ	問30 146	エ
7	ア	42	ア	77	ク	112	ア	147	キ
8	イ	43	イ	78	キ	113	ア	148	オ
9	ア	44	ウ	79	カ	114	ア	149	ウ
10	イ	45	ア	80	エ	115	イ	150	イ
問3 11	ア	問10 46	イ	問17 81	キ	問24 116	ウ	問31 151	オ
12	イ	47	イ	82	ウ	117	ア	152	ク
13	イ	48	イ	83	ク	118	イ	153	ウ
14	ア	49	ア	84	イ	119	イ	154	ア
15	イ	50	ア	85	カ	120	ア	155	キ
問4 16	イ	問11 51	イ	問18 86	オ	問25 121	ウ	問32 156	イ
17	ア	52	ア	87	キ	122	キ	157	イ
18	ア	53	イ	88	エ	123	ア	158	イ
19	イ	54	ア	89	ア	124	カ	159	イ
20	ア	55	ア	90	イ	125	ク	160	ア
問5 21	ア	問12 56	イ	問19 91	イ	問26 126	ク	問33 161	ク
22	イ	57	ア	92	ア	127	ウ	162	オ
23	ア	58	ア	93	ア	128	キ	163	カ
24	イ	59	イ	94	イ	129	エ	164	イ
25	ア	60	イ	95	イ	130	カ	165	エ
問6 26	イ	問13 61	イ	問20 96	イ	問27 131	イ	問34 166	イ
27	イ	62	ア	97	ア	132	イ	167	ア
28	ア	63	イ	98	イ	133	ア	168	イ
29	ア	64	ア	99	イ	134	ア	169	ア
30	イ	65	イ	100	ア	135	ア	170	ウ
問7 31	オ	問14 66	ウ	問21 101	ア	問28 136	イ		
32	キ	67	ア	102	ア	137	ア		
33	ウ	68	イ	103	ア	138	ウ		
34	ク	69	ア	104	ア	139	イ		
35	イ	70	イ	105	イ	140	ウ		

ファッション販売3

―ファッション販売能力検定試験問題集3級―

2021年4月20日　第1版1刷発行
2023年11月1日　第3版1刷発行

編者・発行者　　一般財団法人　日本ファッション教育振興協会
　　　　　　　　〒151-0053
　　　　　　　　東京都渋谷区代々木3-14-3　紫苑学生会館2F
　　　　　　　　電話 03-6300-0263　　FAX 03-6383-4018
　　　　　　　　URL http://www.fashion-edu.jp